1784 LA MEMOIRE DES SIECLES

LE SCANDALE
DU
'MARIAGE DE FIGARO'
Prélude à la Révolution française?

CLAUDE PETITFRÈRE

ÉDITIONS COMPLEXE

Le Général Dupuy et sa correspondance (1792-1798), Paris, Société des Etudes Robespierristes — Librairie Clavreuil, 1962.

Les Vendéens d'Anjou (1793), Paris, B.N., 1981.

La Vendée et les Vendéens, Paris, Gallimard, coll. Archives, 1981.

Les Bleus d'Anjou (1789-1792), Paris, Comité des Travaux Historiques et Scientifiques, 1985.

L'Œil du maître, Maîtres et serviteurs de l'époque classique au romantisme, Bruxelles, Editions Complexe, 1986.

SOMMAIRE

LA FOLLE JOURNÉE 7

LA PUISSANCE ET LA GLOIRE 35
    Les lendemains de la victoire 36
    Le prestige militaire 44
    Le rayonnement culturel 50

HEUREUX COMME DIEU EN FRANCE 61
    Le tourbillon des plaisirs 62
    Le repos du corps et de l'âme 76
    L'heureuse famille 83

LES FONDEMENTS DE L'OPTIMISME 101
    L'essor démographique
    ou les prémices du triomphe de la vie 102
    Une certaine prospérité agricole 108
    Le grand élan du négoce 115
    La foi dans le progrès 122

LA CRISE ÉCONOMIQUE ET SOCIALE 141
    Les faiblesses de l'économie 142
        le temps des crises 143
        les entraves de l'entreprise 149
    Une double insatisfaction 154
        le spectre de la misère 154
        les refoulements de la bourgeoisie 168

A LA CROISÉE DES CHEMINS 177
    L'exaspération de la critique 178
    Les hésitations de la monarchie 196

CONCLUSION 215

NOTES 223

CHRONOLOGIE 243

ORIENTATION BIBLIOGRAPHIQUE 246

INDEX 251

LA FOLLE JOURNÉE

En cet après-midi du 27 avril 1784, Paris est en ébullition. Des centaines de voitures encombrent les rues qui mènent à la blanche façade du Théâtre-Français, tout juste achevé sur la Montagne Sainte-Geneviève, au cœur du « pays latin ». On s'écrase depuis des heures devant les bureaux. De grands seigneurs se pressent au coude à coude avec les domestiques et les jeunes Savoyards. Bientôt la garde cède, les portes sont enfoncées. On racontera le lendemain que trois personnes sont mortes étouffées. Pour être plus sûrs d'avoir des places, beaucoup d'hommes et de femmes de la bonne société ont campé dans les loges des acteurs, y dînant dans un vacarme étourdissant d'éclats de voix, de rires, de bouchons qui sautent, de cliquetis d'assiettes et de fourchettes...

Au lever du rideau, le Tout-Versailles, cordons bleus et talons rouges, s'entasse dans les loges, et aussi « *dans les balcons, où les femmes comme il faut ne se placent guère* », mais où plus d'une duchesse s'est estimée heureuse de trouver « *un méchant petit tabouret* » [1], et même au parterre où pour la première fois on a disposé des banquettes. On remarque des princes du sang, les propres frères du roi, Monsieur, comte de Provence et son cadet le comte d'Artois. On lorgne les plus jolies femmes de la Cour : « *La belle princesse de Lamballe, la princesse de Chimay, la nonchalante Mme de Laascuse..., la spirituelle marquise d'Andlau, la suprême Mme de Châlons... la belle Mme de Balby, Mme de Simiane, plus belle encore, Mmes de La Châtre, Matignon, Dudrenenc dans une même loge. Tout cela brillait, se saluait. C'étaient des bras arrondis, de blanches épaules, des cous de cygne, des rivières de diamants, des étoffes de Lyon bleues, roses, blanches, des arcs-en-ciel mouvants... s'agitant, se croisant, papillonnant(...)* » [2] .

Jamais une grande première de théâtre n'avait été tant espérée, vécue avec autant d'excitation. Et pour qui, pourquoi une telle folie ? A cause d'une pièce qui porte justement comme titre *La folle journée ou le Mariage de Figaro*.

Beaumarchais, l'auteur, est là, lui aussi, mais invisible dans une loge grillagée. Il attend le verdict du public en compagnie de deux bons vivants, les abbés Sabatier de Castres, un homme de lettres, et Calonne, le frère du principal ministre de Louis XVI, le Contrôleur général des finances en place seulement depuis novembre dernier. Notre auteur sera comblé. La salle fit un triomphe à la comédie servie, il faut le dire, par une distribution hors de pair. Molé en Almaviva, Dazincourt en Figaro, le vieux Préville en Brid'Oison, et surtout les femmes, la fameuse Mademoiselle Contat dans le rôle de Suzanne, Sainval cadette dans celui de la comtesse et Mademoiselle Olivier, une jeune fille de 20 ans qui campait un Chérubin tout en grâces, déchaînèrent les applaudissements cinq heures durant. Il n'y eut pas moins de douze rappels ! Beaumarchais ne dut pas être mécontent non plus des 6 511 livres de recette, un record dans l'histoire du théâtre [3].

La critique fut, le plus souvent, élogieuse. Même les moins bien disposés envers l'auteur, comme Jean-Baptiste Suard, rédacteur du *Journal de Paris* qui avait été, en 1770, le premier quotidien édité dans la capitale, furent obligés de rendre compte de l'enthousiasme de la salle. On lit dans la *Correspondance secrète* : « *C'est un amphigouri, un* imbroglio, *un salmigondis des mieux compliqués ; ou plutôt, car c'est trop peu dire, c'est une monstruosité littéraire des plus raffinées : mais on y rit, on y rit... puis encore, et dès-lors c'est un chef-d'œuvre de goût, d'esprit et de morale* » [4].

Sans doute un petit frisson dut parcourir les spectateurs qui applaudissaient *La folle journée*, celui qu'ajoute au plaisir le sentiment de transgresser un interdit. C'est que la pièce avait été longtemps proscrite ; elle fut soumise au jugement de six censeurs avant de recevoir l'autorisation d'être représentée en public.

Beaumarchais, si on l'en croit, avait terminé dès 1778 *Le Mariage de Figaro* qui se présentait comme la suite du *Barbier de Séville* joué pour la première fois trois ans plus tôt. En 1781, les Comédiens Français qui étaient à la recherche d'un ouvrage qui pût refaire leurs finances décrépites s'étaient fait envoyer la nouvelle pièce et, après l'avoir lue, l'avait adoptée « *par acclamation* ». L'auteur pressa donc Lenoir, le lieutenant de police de Paris, de lui donner un censeur ; ce fut un certain Coqueley, grand amateur de théâtre. Celui-ci trouva *Le Mariage* bien écrit, point trop indécent, et somme toute « *très propre à attirer à la Comédie qui en a grand* besoin, beaucoup de spectateurs et par conséquent de recette »[5]. Pourtant, dans sa version première, la pièce comportait de grandes audaces qui seront supprimées ensuite. Dans le fameux monologue de l'acte V, Figaro citait nommément la Bastille car la scène se passait alors en France. Il ne s'y vantait pas seulement d'avoir écrit « *une comédie dans les mœurs du sérail* », mais une autre sur « *la destruction du culte des Bardes et des Druides* » qui ne pouvait causer beaucoup de plaisir à l'Eglise.

Déjà on se disputait Beaumarchais et son œuvre dans les salons de la capitale. A la Cour même une coterie s'était formée autour de Madame de Polignac et du baron de Breteuil, Secrétaire d'Etat à la Maison du roi, dans l'espoir d'obtenir de Louis XVI l'autorisation de jouer la pièce en public. Il est vrai qu'une autre cabale, hostile celle-ci, se rassemblait autour de Monsieur. Le roi ayant manifesté le désir de juger par lui-même, Beaumarchais lui fit parvenir son manuscrit. Louis XVI se le fit lire par Madame Campan, première femme de chambre de la reine, en présence de celle-ci. « *Je commençai*, conte la dame dans ses *Mémoires. Le roi m'interrompait souvent par des exclamations toujours justes, soit pour louer, soit pour blâmer. Le plus souvent il se récriait : — C'est de mauvais goût ; cet homme ramène continuellement sur la scène l'habitude des* concetti *italiens. — Au monologue de Figaro, dans lequel il attaque diverses parties d'administration, mais essentiellement à la tirade sur les prisons d'Etat, le roi se leva avec vivacité et dit : — C'est détestable, cela ne sera jamais joué : il faudrait détruire la Bastille pour que la représentation de cette pièce ne fût pas une inconséquence dangereuse. Cet homme déjoue tout ce qu'il faut respecter dans un gouvernement. — (…) — On ne la jouera donc point ? dit la reine. — Non, certainement, répondit Louis XVI ; vous pouvez en être sûre !* »[6]

Beaumarchais apporta quelques changements à sa pièce pour la faire paraître moins osée. Il transféra l'action en Espagne, traduisant en *Aguas-Frescas* le nom du château de Fraîche-Fontaine. Après quoi, il multiplia les lectures dans les salons, chez le duc de Fronsac, fils aîné du maréchal de Richelieu, Madame de Lamballe, les Vaudreuil, les Polignac, d'autres encore. Il fit le siège du roi ainsi que d'une forteresse « *en progressant de salon en salon, comme d'autant de tranchées* » [7]. La notoriété du *Mariage de Figaro* ne cessait de s'enfler, dépassant même les frontières. Catherine II avait fait savoir son impatience de le connaître. Le Grand-Duc Paul, son fils, de passage à Paris en mai 1782 avec son épouse, s'était fait lire la comédie par Beaumarchais lui-même. Le comte et la comtesse du Nord, comme on les appelait, n'avaient pas tari d'éloges. Le père de Figaro poussa donc son avantage. Le Grand-Duc lui ayant demandé son manuscrit pour le porter à l'impératrice, il le fit savoir au lieutenant de police, non sans ajouter cette espèce de chantage : « *Il m'est impossible de l'envoyer sans que la pièce ait été jouée, car une comédie n'est vraiment achevée qu'après la première représentation* ». En conséquence de quoi, il priait Lenoir de lui accorder un deuxième censeur [8].

La manœuvre ne réussit qu'à demi. Certes Beaumarchais eut son censeur, mais ce fut Suard, un de ses plus farouches adversaires. Ecrivain reconnu dans la société, académicien, mais piètre auteur, il était jaloux du succès de l'ancien horloger et son avis fut défavorable.

Cependant la bataille autour du *Mariage* se faisait de plus en plus dure. Elle opposait même les proches du roi : le comte de Provence, le garde des Sceaux Miromesnil, poussaient Louis XVI à maintenir son interdiction ; le comte d'Artois, Madame de Polignac, plus timidement la reine, plaidaient pour l'autorisation. En février 1783, Beaumarchais eut une heureuse surprise. Après une lecture de sa pièce chez le baron de Breteuil, il apprit que les Comédiens Français avaient reçu l'ordre d'apprendre *Le Mariage* pour le jouer dans la salle des Menus Plaisirs à Paris devant la Cour. On ne sait qui avait pris cette initiative, mais sans doute le comte d'Artois avait-il joué un rôle dans l'affaire. Il avait dû, pour le moins, assurer que son frère fermerait les yeux. Pourtant, si l'on en croit Madame Campan, «*le roi n'en fut instruit que le matin même*» de la représentation, le 13 juin. Vexé de se voir ainsi mis devant le fait accompli, il fit porter sur le champ un billet d'interdiction. La salle était déjà remplie et un tollé accueillit l'ordre du monarque. Les plus grands seigneurs crièrent à la tyrannie. Madame Campan rapporte que l'auteur lui-même, rouge de colère, osa défier le roi : «*Eh bien ! Messieurs, il ne veut pas qu'on la représente ici, et je jure, moi, qu'elle sera jouée, peut-être dans le chœur même de Notre-Dame !*» [9]. Au vrai, ce mot fut sans doute fabriqué a posteriori. L'heure de la Révolution n'avait pas sonné, et Beaumarchais était trop fin diplomate pour risquer de gâcher ainsi ses chances de voir sa pièce autorisée.

La fermeté à suivre une décision n'était pas la qualité principale de Louis XVI. Les partisans de Beaumarchais le savent et ils accentuent leur pression sur le roi. Ayant épuisé ses capacités de résistance, celui-ci finit par accepter que *Le Mariage de Figaro* soit représenté, mais en privé, à Gennevilliers dans la maison de campagne que le duc de Fronsac avait cédée pour quelques années au comte de Vaudreuil. Sentant le vent en poupe, Beaumarchais en profite pour avancer un pion supplémentaire : il acceptera de faire jouer sa pièce à condition qu'elle soit officiellement approuvée par un nouveau censeur. On lui donne Gaillard, un historien membre de l'Académie française, qui se montre favorable, malgré ce qu'on pouvait craindre d'un homme à la réputation de grande austérité. Gaillard estime que les gaietés de la comédie « *quoique approchant de ce qu'on nomme* gaudrioles, *ne vont pas jusqu'à l'indécence* ». Quant à la critique sociale et politique, elle n'est pas à redouter, venant de Figaro « *un de ces intrigants du bas peuple dont l'exemple ne peut être dangereux pour aucun homme du monde* » [10].

La représentation de Gennevilliers a lieu devant le comte d'Artois et quelque trois cents personnes de haut rang, en septembre 1783. C'est un franc succès. Artois rassure son frère. La *Correspondance de Métra* prête au prince ce mot, inventé sans doute, mais qui traduit bien son incompréhension de la portée satirique de la pièce : « *L'exposition, l'intrigue, le dénouement, le dialogue, l'ensemble, les détails, depuis la première scène jusqu'à la dernière, c'est du foutre et puis encore du foutre* » [11].

Le roi étant plus qu'à demi ébranlé, Beaumarchais estime le moment venu d'emporter la place. Il sollicite un quatrième censeur pour que la pièce puisse être enfin jouée en public. Hélas, c'est Jean-Baptiste Guidi, connu pour son opposition au parti philosophique. Il fait de sérieuses réserves sur la valeur morale de la comédie. Un cinquième censeur, Foucques-Deshayes, dit Desfontaines, se révèle par contre admiratif. C'est sans doute que lui-même, auteur médiocre, songeait à s'approprier le thème du *Mariage*. Il donnera en effet, en novembre 1784, *Les Amours de Chérubin* à la Comédie Italienne. On dut juger excessif l'enthousiasme de Desfontaines puisqu'on donna à Beaumarchais un dernier censeur, un certain Bret, auteur dramatique lui aussi. Il ne trouva rien à redire à la pièce, quelque peu corrigée, il est vrai, pour tenir compte des critiques des juges précédents. C'est ainsi que *Le Mariage de Figaro* put enfin voir le jour en public.

En fait, la « première » du 27 avril 1784 ne mit pas fin à la polémique. Avant que le rideau ne se lève pour la 4ᵉ représentation, des centaines de billets imprimés tombèrent des troisièmes loges. Ils portaient une épigramme que le public s'arracha en un joyeux tumulte. On lisait notamment sur la feuille :

> « *Dans ce drame effronté chaque acteur est un vice :*
> *Bartholo nous peint l'avarice ;*
> *Almaviva le suborneur ;*
> *Sa tendre moitié l'adultère,*
> *Et Double-Main un plat voleur.*
> *Marceline est une mégère ;*
> *Basile, un calomniateur ;*
> *Fanchette l'innocente est* bien *apprivoisée ;*
> Et la Suzon, plus que rusée,
> A bien l'air de goûter du page favori,
> Greluchon de madame, et mignon du mari.
> Quel bon ton, quelles mœurs cette intrigue rassemble !
> *Pour l'esprit de l'ouvrage, il est chez Bride-Oison (sic).*
> *Mais Figaro ?... Le drôle à son patron*
> *Si scandaleusement ressemble,*
> *Il est si frappant qu'il fait peur ;*
> *Et pour voir à la fin tous les vices ensemble*
> Des badauds achetés *ont demandé l'auteur* ». [12]

Le scandale, loin de nuire à la pièce, alimentait son succès. La *Correspondance littéraire* affirme d'ailleurs que l'épigramme (sans doute inspirée par le parti de Monsieur) avait été retouchée par Beaumarchais lui-même et jetée dans la salle sur son ordre. De fait, l'auteur avait un sens inné de la publicité. Il offrit dans le *Journal de Paris* du 12 août, d'abandonner une partie de ses bénéfices à un institut de bienfaisance qu'il se proposait de créer à l'intention des mères pauvres qui accepteraient de nourrir elles-mêmes leurs enfants. On verra que, depuis le milieu du siècle, une grande campagne d'opinion recommandait l'allaitement maternel [13]. Le 20 septembre, Beaumarchais adressa aux Comédiens Français une lettre dans laquelle il leur suggérait d'affecter à son œuvre les recettes de la 50e représentation. Les Comédiens ne purent faire autrement que d'accepter « *avec grand plaisir* » : les 6 397 livres 2 sols de la séance du 2 octobre furent donc versées au profit des mères nourrices [14]. Cette généreuse trouvaille publicitaire ne manqua pas d'être épinglée par diverses épigrammes de la veine de celle-ci :

> « *De Beaumarchais, admirez la souplesse ;*
> *En bien, en mal, son triomphe est complet :*
> *A l'enfance il donne du lait*
> *Et du poison à la jeunesse* » [15].

La cabale, on le voit, ne désarmait toujours pas. Elle avait un héraut particulièrement opiniâtre en la personne de Jean-Baptiste Suard. A l'occasion de la réception de Montesquiou à l'Académie française, il prononça un discours violemment hostile à la pièce et à son auteur. Celui-ci se vengea par deux lignes cinglantes qu'il inséra dans la *Préface* dont il fit lecture dans les salons à la fin de 1784, avant de la publier en avril de l'année suivante. Suard y était traité d'« *homme de bien, auquel il n'a manqué qu'un peu d'esprit pour être un écrivain médiocre* »... [16]

Beaumarchais se heurta bientôt à un autre adversaire, et de quelle taille ! Rien moins que l'archevêque de Paris, Monseigneur de Juigné qui, dans son *Mandement* pour le carême, interdit aux fidèles d'aller voir *Le Mariage de Figaro* et de lire les œuvres de Voltaire dont Pierre-Augustin Caron préparait l'édition. Encore une fois ce dernier mit les rieurs de son côté en publiant une *Parodie du Mandement* et un *Cantique spirituel du très spirituel Mandement du Carême de 1785* [17].

La polémique finit par tourner à l'aigre. Le *Journal de Paris* publia une lettre, vraisemblablement de la main de Suard, qui demandait finement ce qu'il était advenu de la « *petite Figaro* » dont il était question dans *Le Barbier de Séville* (acte II — scène XI) et qui avait disparu du *Mariage*. Pierre-Augustin répondit que la fille adoptive de Figaro avait épousé ce nommé Lécluse, gagne-denier au port Saint-Nicolas, qui venait de mourir écrasé, et qu'elle restait veuve avec « *un enfant de treize ans et un de huit jours qu'elle allaite* ». Toujours à l'affût de quelque bienfaisance publicitaire, Beaumarchais joignait à sa lettre un secours qu'il demandait au journal de faire parvenir à la dame ! Piqué d'avoir trouvé son maître en fait de plaisanterie, Suard infligea dans son quotidien de lourdes leçons de morale à notre auteur, le blâmant, entre autre, d'avoir affublé une honnête femme du nom de Figaro qui représentait « *tout ce qu'il y a de plus bas et de plus ridicule* ». Beaumarchais, exaspéré, se laissa aller, dans une lettre ouverte datée du 6 mars 1785, à une phrase malheureuse : « *Quand j'ai dû vaincre lions et tigres pour faire jouer une comédie, pensez-vous, après son succès, me réduire, ainsi qu'une servante hollandaise, à battre l'osier tous les matins sur l'insecte vil de la nuit ?* » Le fluet Suard, toujours vêtu de noir, n'eut pas de mal à identifier l'insecte nocturne... Mais qui étaient les lions et les tigres ? L'académicien s'employa à persuader son

16

protecteur, le comte de Provence, qu'il était, ainsi que le roi lui-même, désigné par cette métaphore et Beaumarchais se retrouva à la maison de Saint-Lazare.

Passe encore d'être emmuré à Vincennes ou à la Bastille. Ces prisons d'Etat qui avaient reçu maints hôtes illustres dans le passé, possédaient leurs lettres de noblesse. Mais être conduit à Saint-Lazare où l'on n'enfermait guère que de jeunes libertins, ou de fortes têtes, à la demande de leur famille, quelle humiliation ! D'autant qu'une coutume obligeait tout nouvel arrivant à être fouetté par un domestique. Peut-être notre auteur échappa-t-il à cette brimade, mais ses adversaires ne se privèrent pas de raconter la scène comme s'ils y avaient assisté. Des estampes mêmes coururent la ville représentant Beaumarchais se faisant administrer les verges, postérieur à l'air... [18].

Cet internement arbitraire suscita pourtant plus d'indignation que de rires. L'opinion était montée contre les lettres de cachet qu'avaient condamnées, en 1770, des remontrances de la Cour des Aides inspirées par Malesherbes, et, plus vivement encore un pamphlet que Mirabeau avait commis au donjon de Vincennes et qui était paru en 1783 [19]. On cria au despotisme. Un journaliste écrivit : « *On se demande si quelqu'un peut répondre de coucher ce soir dans son lit* », et le propre secrétaire du comte de Provence, Arnault, consignera plus tard dans ses *Souvenirs* : « *Chacun se sentait menacé par là, non seulement dans sa liberté, mais dans sa considération* » [20].

Beaumarchais ne resta que cinq jours à Saint-Lazare, mais il ne fut pas plus satisfait de sa libération qu'il ne l'avait été de son internement. Il voulait être jugé, et lavé de tout soupçon. C'est ce qu'il osa demander au roi dans un « *mémoire justificatif* » qui tourne parfois au réquisitoire contre l'arbitraire : « *Qu'il daigne, et je l'en supplie ardemment, m'accorder l'accusateur établi par la loi, et des juges très rigoureux pour examiner ma conduite, et me punir si j'ai commis un crime (...). L'honneur ne peut être affaibli que par un jugement des tribunaux, parce qu'alors on est censé avoir pu et dû se défendre, ce que l'autorité ne permet pas»* [21]. Pour se faire pardonner sans s'abaisser, Louis XVI fit verser à Beaumarchais 800 000 livres en réparation des pertes qu'il avait faites au service de l'Etat dans ses entreprises commerciales avec les Insurgents d'Amérique [22]. Peu après, Pierre-Augustin triomphait à la Cour. Il lui fut donné d'assister à une représentation du *Barbier de Séville* que la reine avait organisée à Trianon : elle y tenait le rôle de Rosine et le comte d'Artois celui de Figaro...

C'était la seconde fois que Louis XVI se déjugeait. Décidément ce Beaumarchais se révélait bien redoutable. N'avait-il pas démontré qu'avec de l'esprit et de la ténacité, on pouvait non seulement faire reculer le pouvoir, mais en être comblé ? Comme pour célébrer sa victoire, le Théâtre Français, le 18 août 1785, reprit avec un grand succès *Le Mariage de Figaro* dont les représentations avaient été interrompues depuis le 7 mars [23].

La carrière de la pièce se poursuivit avec brio ; en 1787, on donna la 100e , ce qui était exceptionnel. Entre temps, *Le Mariage* avait été joué dans plusieurs grandes villes de province. Parfois aussi, il y avait suscité le scandale, comme à Bordeaux où le Parlement l'interdit par un arrêt du 9 mars 1785. Les spectateurs du grand port aquitain devront attendre exactement quatre ans pour applaudir la comédie au Grand-Théâtre [24]. *Le Mariage* fut aussi représenté très vite aux Pays-Bas, à Londres devant le Prince de Galles. Il fut

18

joué à Varsovie, à La Haye, fut traduit en allemand, en néerlandais, en anglais, en polonais, en russe. Dès juillet 1784, un Vénitien, Da Ponte, avait présenté à Mozart un livret d'opéra en italien, tiré de la pièce de Beaumarchais. Devant la farouche hostilité de Joseph II, il dut l'expurger des passages les plus scabreux ou de ceux qui pouvaient choquer les défenseurs de l'ordre établi. *Les Noces de Figaro* furent données à Vienne en 1786 [25].

Le succès de la comédie de Beaumarchais se mesure aussi au nombre des imitations, des parodies, des suites données à la pièce. Dès 1784, on peut recenser une douzaine d'œuvres inspirées du *Mariage*, tels *Les Amours de Chérubin*, une parodie de Desfontaines, l'ancien censeur de Beaumarchais, dont les Comédiens Italiens donnèrent la première le 4 novembre. D'autres pièces paraîtront les années suivantes parmi lesquelles, en 1786, *Le Mariage inattendu de Chérubin* d'Olympe de Gouges qui devait se révéler bientôt une figure de proue du féminisme révolutionnaire [26].

Le Mariage de Figaro est un chef-d'œuvre incontestable. C'est la première raison de l'enthousiasme du public. Meister a vu juste, qui affirme que le «*succès prodigieux*» de la pièce «*est dû principalement à la conception même de l'ouvrage, conception aussi folle qu'elle est neuve et originale. C'est un imbroglio dont le fil, facile à saisir, amène cependant une foule de situations également plaisantes et imprévues, resserre sans cesse avec art le nœud de l'intrigue, et conduit enfin à un dénouement tout à la fois clair, ingénieux, comique et naturel (…)*» [27].

Pourtant, quels qu'aient été le talent et la réussite de Beaumarchais, le triomphe de sa pièce doit aussi beaucoup au caractère scandaleux qu'elle avait à son époque. « *Les grands ennemis de l'Auteur*, écrit ce dernier dans sa préface, *ne manquèrent pas de répandre à la Cour qu'il blessait dans cet ouvrage (...) la Religion, le Gouvernement, tous les états de la Société, les bonnes mœurs, et qu'enfin la vertu y était opprimée et le vice triomphant (...)* » [28].

L'accusation d'immoralité pourrait sembler surprenante au siècle des alcôves et des « *petites maisons* ». Mais, outre qu'il ne faudrait pas s'imaginer que la masse des Français, surtout en province, s'adonnaient à la « *débauche* », les libertins eux-mêmes admettaient mal, pour beaucoup d'entre eux, que l'on portât à la scène les mœurs dissolues qui faisaient leurs délices à la ville. Or, il faut admettre qu'il y a dans *Le Mariage de Figaro* beaucoup de « *galanterie* », comme on disait alors en donnant au mot un sens plus fort qu'aujourd'hui. Tout d'abord le sujet, très scabreux : ce grand seigneur, coureur impénitent qui convoite la femme de chambre de son épouse et prétend remettre en usage, à l'occasion des noces de la jeune fille, un droit de cuissage tardivement aboli lors de ses propres épousailles, mais dont on apprend qu'il en a maintenu longtemps l'usage auprès des jolies villageoises de son domaine [29]. Bien des situations sont équivoques elles aussi. Ainsi l'amour que porte la mûrissante mais toujours désirable Marceline à Figaro se révèle incestueux lors de la scène de reconnaissance, à l'acte III. Le fait que, sur les indications mêmes de l'auteur, le rôle de Chérubin ait été tenu par un travesti, accroît le caractère trouble de la pièce ; Mademoiselle Olivier, jolie blonde aux yeux noirs, avait de quoi susciter chez les « *Dames des loges* » un intérêt qui n'était pas aussi pur et naïf que l'auteur voudrait le faire croire dans sa préface.

Toute l'œuvre baigne en fait dans une grande sensualité, chacun des personnages principaux ayant l'amour en tête. Le plus sage encore est Figaro. Il a certes un passé de séducteur : « *Jeune homme ardent au plaisir (...), amoureux par folles bouffées* », il a « *tout vu, tout fait, tout usé* » [30] mais il s'est un peu rangé en prenant de l'âge. Ancien enfant perdu, ou plutôt « *volé par des bandits, élevé dans leurs mœurs* » [31], il paraît converti à l'honnêteté, et la ruse qu'il déploie pour confondre son maître est louable puisque pour le bon motif. Mais son amour pour Suzanne est rien moins que chaste et on le sent prêt à s'octroyer une petite avance sur la légitimité, pour peu que sa fiancée le laisse faire.

Les autres personnages masculins ne sont guère recommandables. Almaviva est un libertin cynique, ce qui ne l'empêche pas de se montrer possessif et jaloux à l'égard de sa femme, moins par amour que par vanité personnelle. En fait, il ne croit pas à l'amour qui n'est, dit-il, « *que le roman du cœur* » [32]. Il n'aime que le plaisir et le cherche auprès de tout ce qui porte jupon, ne dédaignant pas même de l'acheter comme il tente de le faire avec Suzanne. Quant à Chérubin, il en est à ce moment trouble de la vie où l'homme perce dans l'enfant. Il s'émeut à la présence de la comtesse, au frôlement de Suzanne ou de Fanchette. En fait, c'est la femme qu'il aime ou plutôt qu'il désire : « *Une fille ! une femme ! ah que ces noms sont doux ! qu'ils sont intéressants !* » [33]. Sous prétexte qu'il personnifie la Nature dans toute sa fraîcheur, Beaumarchais se permet de lui donner une grande liberté d'allure et de parole. Mais l'auteur se défend mal quand il dit dans sa préface qu'à 13 ans, son page éprouve des sentiments innocents qui ne peuvent rien inspirer d'impur chez ses admiratrices. En fait, ce « *quelque chose de sensible et doux qui n'est ni amitié, ni amour, et qui tient un peu de tous deux* » est fort dangereux pour la vertu. Beaumarchais le sait bien, qui songe à écrire *La Mère coupable*, au moment où il rédige ces pages. Il le sait d'autant mieux que Chérubin c'est un peu lui-même adolescent, alors que, respirant, comme dit René Pomeau, l'«*air capiteux*» que donnait au foyer paternel la présence de ses cinq sœurs, il envoyait «*des vers charmants à ses jeunes maîtresses*» [34].

Les personnages secondaires sont encore beaucoup moins que les premiers rôles des modèles de vertu. Ils représentent toute la gamme des vices, de l'hypocrite Bazile devenu «*l'agent* [des] *plaisirs*» du comte [35] à Antonio le jardinier ivrogne, en passant par le «*gros docteur* » Bartholo, l'ancien tuteur libidineux de Rosine dont on apprend qu'il a engrossé Marceline et qu'il refuse toujours de l'épouser trente ans plus tard...

Mais les effluves érotiques qui imprègnent la comédie tiennent avant tout aux femmes. Beaumarchais a mis, pour les peindre, toute sa tendresse et toute la finesse du grand connaisseur qu'il était. Ses personnages féminins nous apparaissent, quoi qu'ils en disent, toujours vacillants aux frontières de la vertu. Avec Marceline et Fanchette la chose est claire. La première a connu une jeunesse des plus agitées et, si elle veut faire une fin, c'est en alliant son plaisir à la moralité. Elle a jeté son dévolu sur Figaro, un garçon bien jeune à côté d'elle et dont elle est «*friande en diable*» [36]. Fanchette n'est pas beaucoup plus difficile à deviner. C'est une fausse ingénue qui aime tous les hommes. Elle a, sans doute, une préférence pour Chérubin qu'elle n'hésite pas à admettre dans sa chambre, mais elle n'oppose guère de résistance au comte.

Au premier abord, Suzanne et la comtesse sont beaucoup plus solides. Suzanne est «*sage*» aux dires de Figaro à qui, il est vrai, elle n'autorise pas trop de privautés avant le mariage. Elle est même fidèle au point de révéler à son fiancé, dès la première scène, les vues déshonnêtes que son maître a sur elle. Et pourtant, quelle coquette ! Avec quel art consommé ne dupe-t-elle pas le comte en l'assurant qu'elle se rendra au jardin, sur la brune ! Avec quelle gourmandise des yeux et du geste ne considère-t-elle pas Chérubin dans la scène du travestissement ! « *Là… mais voyez donc ce morveux, comme il est joli en fille ! J'en suis jalouse, moi ! Voulez-vous bien n'être pas joli comme çà ? (…) Ah ! qu'il a le bras blanc ! c'est comme une femme ! plus blanc que le mien !* » [37]. Il ne lui déplaît pas, au fond, d'être désirée par celui qui n'est pour l'instant qu'un « *morveux sans conséquence* » mais dont elle sait bien qu'il sera sans doute dans trois ou quatre ans « *le plus grand petit vaurien !* » [38].

La comtesse est certainement moins accessible. Son rang, son maintien, font qu'avec elle on « *n'ose pas oser* » comme dit Chérubin. D'ailleurs, elle aime sincèrement son mari ; elle souffre de ses frasques et de l'abandon dans lequel il la laisse. Mais le penchant pour son filleul, qu'elle a du mal à cacher, ne frôle-t-il pas à la fois l'inceste et l'adultère ? La jeunesse du page la rassure en vain. Elle essaie de se mentir à elle-même : ses sentiments n'ont rien de dangereux. Alors, pourquoi ne peut-elle cacher son émotion au comte lorsque celui-ci décide d'éloigner l'adolescent ? Pourquoi ce trouble quand elle s'apprête à recevoir « *Monsieur l'Officier* » pour qu'on le déguise en femme ? Ses réactions n'ont plus rien de celles d'une mère, ni même d'une marraine : « *Mon Dieu, Suzon, comme je suis faite !… ce jeune homme qui va venir !… (…) mes cheveux sont dans un désordre…* » [39].

C'est surtout cette atmosphère voluptueuse que soulignaient les critiques quand ils condamnaient *Le Ma-*

riage de Figaro. Pourtant les vraies raisons de la longue interdiction de la pièce sont ailleurs, dans l'âpreté de la satire politique et sociale. Souvenons-nous de ce que rapporte Madame Campan : c'est «*à la tirade sur les prisons d'Etat*» que Louis XVI, se levant d'un bond, jura que la comédie ne serait jamais jouée [40].

Meister écrit dans la *Correspondance littéraire* : «*L'auteur (...) traite avec une hardiesse dont nous n'avions point encore eu d'exemple les grands, leurs mœurs, leur ignorance et leur bassesse ; il ose parler gaiement des ministres, de la Bastille, de la liberté de la presse, de la police et même des censeurs*» [41]. La critique sociale n'est certes pas chose nouvelle dans le théâtre de Beaumarchais. Elle s'était déjà exprimée avec vigueur dans *Le Barbier de Séville* où Figaro campait un bien insolent personnage : «*Aux vertus qu'on exige dans un domestique, votre Excellence connaît-elle beaucoup de maîtres qui fussent dignes d'être valets ?*» [42]. Mais dans *Le Mariage* la satire est à la fois plus hardie et beaucoup plus systématique. En outre elle porte davantage car, d'une pièce à l'autre, les caractères des deux principaux acteurs ont évolué en sens contraire : Figaro s'est assagi et paraît grandi tandis que le comte a mal vieilli. Le sincère amour d'Almaviva pour Rosine entraînait la sympathie du public dans *Le Barbier de Séville* ; on était ravi de le voir triompher de ce vieux benêt de Bartholo. Mais le comte du *Mariage* sans cesse infidèle, incapable d'amour véritable, se laissant désormais berner comme autrefois le gros docteur, n'émeut plus le spectateur qui lui préfère Figaro, l'homme du peuple. C'est lui qui est dans son bon droit lorsqu'il défend son honneur en essayant de préserver son bonheur et l'on se sent d'autant plus prêt à l'aimer que, n'ayant rien perdu de son agilité d'esprit, il a gagné en profondeur jusqu'à réfléchir en philosophe sur son *Moi* et sur la destinée humaine [43].

Figaro donne le ton de la pièce qui est entrecoupée de tirades revendicatives et foisonne de remarques irrespectueuses. Par sa bouche, mais aussi par celle de Marceline, voire de Suzon, Beaumarchais s'en prend à la société entière, au régime en place, qui pâtissent aussi des ridicules de Bartholo, des hommes de loi, ou de la laideur d'âme de Bazile, nouveau Tartuffe.

Par son sujet même, la comédie fait bon marché d'une institution, ouvertement bafouée, certes, par bien des Grands, mais qui n'en demeure pas moins le premier fondement de l'édifice social : « *De toutes les choses sérieuses, le mariage étant la plus bouffonne* »... [44] Sans doute est-ce cette âme noire de Bazile qui profère pareille inconvenance et, d'ailleurs, la pièce se termine par le triomphe du mariage : les doubles noces de Figaro avec Suzanne et Bartholo avec Marceline et la réconciliation d'Almaviva et de Rosine. Mais un simple coup d'œil sur la vie privée de Beaumarchais laisse à penser que, pour une fois, il approuvait Bazile. En 1784, il y avait déjà huit ans qu'il vivait maritalement avec Marie-Thérèse Willermawlaz qu'il n'épousera qu'en 1786 et, s'il avait convolé par deux fois antérieurement, la bague au doigt ne l'avait jamais empêché de mener une vie amoureuse très libre.

La critique sociale atteint son apogée dans la fameuse tirade de l'acte V. En opposant le mérite bourgeois aux privilèges de la naissance, Figaro y conteste le fondement même de la société d'ordres : « *Parce que vous êtes un grand Seigneur, vous vous croyez un grand génie !... noblesse, fortune, un rang, des places ; tout cela rend si fier ! qu'avez-vous fait pour tant de biens ? vous vous êtes donné la peine de naître, et rien de plus. Du reste, homme assez ordinaire ! tandis que moi, morbleu !*

perdu dans la foule obscure, il m'a fallu déployer plus de science et de calculs pour subsister seulement, qu'on n'en a mis depuis cent ans à gouverner toutes les Espagnes »...
Mais dès l'acte III, l'impertinent valet, s'inspirant de la fameuse interrogation du *Barbier*, avait prémuni le spectateur contre la fausseté des apparences : « Le Comte. — *Une réputation détestable !* Figaro. — *Et si je vaux mieux qu'elle ? y a-t-il beaucoup de seigneurs qui puissent en dire autant ?* »

Les Grands sont d'ailleurs fustigés tout au long de la pièce. Ils sont fourbes : «*J'ai vu*, dit Suzanne à sa maîtresse, *combien l'usage du grand monde donne d'aisance aux Dames comme il faut, pour mentir sans qu'il y paraisse*». Ils pratiquent l'injustice sans scrupule. «*Souviens-toi qu'un homme sage ne se fait point d'affaires avec les grands*», dit Bartholo à Figaro qui a dû se rappeler en effet cet avertissement lorsqu'il reçut le soufflet que le comte destinait à Chérubin. « *Voilà comme les Grands font justice* » s'exclame-t-il. Les courtisans eux-mêmes ne sont pas épargnés. Figaro les épingle hardiment : «*recevoir, prendre et demander, voilà le secret en trois mots* » [45].

Beaumarchais attaque aussi les magistrats et la justice. Vorace, « *indulgente aux Grands, dure aux petits* », celle-ci est incarnée par deux personnages grotesques au nom évocateur, le juge Brid'oison et le greffier Double-Main. Il dénonce la vénalité des offices par la bouche de Marceline [46]. Le monde des lettres n'est pas épargné, bien sûr. Beaumarchais en dévoile les rivalités, les cabales. Il condamne la censure en des phrases devenues célèbres comme autant de proverbes : «... *les sottises imprimées n'ont d'importance qu'aux lieux où l'on en gêne le cours ; (...) sans la liberté de blâmer, il n'est point d'éloge flatteur ; (...) il n'y a que les petits hommes qui redoutent les petits écrits.* » Il règle ses

26

comptes avec un esprit féroce : «... *pourvu que je ne parle en mes écrits, ni de l'autorité, ni du culte, ni de la politique, ni de la morale, ni des gens en place, ni des corps en crédit, ni de l'Opéra, ni des autres spectacles, ni de personne qui tienne à quelque chose, je puis tout imprimer librement, sous l'inspection de deux ou trois Censeurs* » [47].

Plus grave, Figaro n'hésite pas à attaquer le gouvernement, ces « bureaux » où l'on arrive à tout par un esprit «*médiocre et rampant* », et les hommes politiques eux-mêmes : «*feindre d'ignorer ce qu'on sait, de savoir tout ce qu'on ignore ; d'entendre ce qu'on ne comprend pas, de ne point ouïr ce qu'on entend ; surtout de pouvoir au-delà de ses forces ; avoir souvent pour grand secret de cacher qu'il n'y en a point ; s'enfermer pour tailler des plumes, et paraître profond, quand on n'est, comme on dit, que vide et creux ; jouer bien ou mal un personnage ; répandre des espions et pensionner des traîtres ; amollir des cachets ; intercepter des lettres ; et tâcher d'ennoblir la pauvreté des moyens, par l'importance des objets : voilà toute la politique, ou je meure !* » [48]. Beaumarchais n'épargne pas même le roi puisque, si la Bastille a disparu du fameux monologue de l'acte V, l'allusion aux lettres de cachet subsiste sous la forme du pont-levis qui s'abaisse pour Figaro, coupable d'avoir commis un écrit qui a déplu aux gens en place.

A tous les « *Puissants de quatre jours* », Beaumarchais préfère les petits, les méprisés, les opprimés. Il soutient les domestiques contre les maîtres, réhabilite les bâtards en la personne de Figaro. Plus curieusement, l'homme à bonnes fortunes qu'il était défend les droits de l'amour. Il place dans la bouche de Marceline un vigoureux plaidoyer en faveur des « *filles-mères* ». A vrai dire, lors des premières représentations, il avait retranché cette tirade à la demande des Comédiens Français qui la trouvaient trop sévère, mais il y tenait tant qu'il la reproduisit in extenso dans sa préface :

« *J'étais née, moi, pour être sage, et je le suis devenue sitôt qu'on m'a permis d'user de ma raison. Mais dans l'âge des illusions, de l'inexpérience et des besoins, où les séducteurs nous assiègent, pendant que la misère nous poignarde, que peut opposer une enfant à tant d'ennemis rassemblés ? Tel nous juge ici sévèrement, qui, peut-être, en sa vie, a perdu dix infortunées ? (…) Hommes plus qu'ingrats, qui flétrissez par le mépris les jouets de vos passions, vos victimes ! c'est vous qu'il faut punir des erreurs de notre jeunesse ; vous et vos magistrats, si vains du droit de nous juger (…)* »

Comme d'autres, parmi ses contemporains, Louis-Sébastien Mercier par exemple [49], Beaumarchais voit dans la concurrence que les hommes font à leurs compagnes en accaparant les métiers « *féminins* » une des causes de la prostitution à laquelle la misère accule les filles. « *Ils font broder jusqu'aux soldats !* » ponctue rageusement Figaro. Il y a derrière cela l'idée, certes point nouvelle mais appelée à beaucoup d'avenir, que seul le travail procurerait aux femmes la liberté en leur assurant l'indépendance économique. Enfin, dépassant le cas des filles-mères, Marceline trouve des accents proprement « *féministes* » pour défendre tout son sexe :

« *Dans les rangs même plus élevés, les femmes n'obtiennent de vous qu'une considération dérisoire ; leurrées de respects apparents, dans une servitude réelle ; traitées en mineures pour nos biens, punies en majeures pour nos fautes ! ah, sous tous les aspects, votre conduite avec nous fait horreur, ou pitié !* » [50]

28

Le Mariage de Figaro est donc un pamphlet, souvent virulent, contre toute sorte d'injustices et de vices du régime. On conçoit qu'il ait passé pour une œuvre dangereuse auprès du roi, du comte de Provence et de bien des défenseurs de l'état de choses établi. La pièce n'est pourtant point un brûlot révolutionnaire et il faut se garder, tout particulièrement ici, du péché d'anachronisme. Beaumarchais dénonce certes les abus qu'il voudrait voir corrigés, mais il ne prétend à aucune réforme radicale. Il ne souhaite nullement la destruction de la société d'ordres ; il revendique seulement l'anoblissement du mérite. Figaro, d'une manière assez cocasse, prétend lui-même être noble. Au début de la scène du procès, il se dit gentilhomme puis se donne bien du mal pour apporter un commencement de preuve : « *Monseigneur, quand les langes à dentelles, tapis brodés et joyaux d'or trouvés sur moi par les brigands n'indiqueraient pas ma haute naissance, la précaution qu'on avait prise de me faire des marques distinctives témoignerait assez combien j'étais un fils précieux : et cet hiéroglyphe à mon bras... »* Aussi, lorsque Bartholo, reconnaissant la spatule qu'il avait imprimée dans la chair de son fils, lui montre Marceline en l'appelant sa mère, Figaro espère d'abord qu'elle n'est que sa mère nourricière [51].

En fait, les regrets qu'a le domestique de sa roture sont ceux de Beaumarchais lui-même, peu satisfait de n'être que le fils de l'horloger Caron. Alors que son ambition l'avait introduit de bonne heure à Versailles, d'abord pour pratiquer le métier paternel puis comme maître de musique des filles de Louis XV, le jeune Pierre-Augustin avait eu plus d'une fois à essuyer le mépris des courtisans. Une petite aventure restée dans l'histoire, illustre bien la sensibilité à fleur de peau du futur père de Figaro quand il était question de son rang. Un gentilhomme l'apostropha un jour de façon cavalière, et pour l'humilier, lui demanda de réparer sa montre. « *Volontiers, Monsieur*, répond le professeur de harpe de Mesdames, *mais je vous préviens que j'ai toujours eu la main extrêmement maladroite* » et il laissa échapper la montre qui se brisa sur le sol [52].

A cette époque déjà, Pierre-Augustin Caron avait substitué à son nom celui de la terre de Beaumarchais qui appartenait à sa première femme, Madeleine-Catherine Aubertin, veuve Franquet, qu'il avait épousée alors qu'il avait 24 ans, en 1756,... pour quelques mois seulement car une fièvre maligne l'avait vite emportée. Mais ce nouveau patronyme ne donnait encore à Pierre-Augustin que l'illusion de la noblesse. Il n'était pas davantage anobli par la charge de Contrôleur de la bouche que lui avait cédée, avant de mourir, le vieux mari de Madeleine-Catherine. Aussi, dès 1761, Beaumarchais acheta un des offices de Secrétaire du roi, la fameuse « *savonnette à vilains* » qui assurait la noblesse transmissible. Cette acquisition, fort onéreuse, lui fut permise par le concours de Joseph Pâris-Duverney, éperdu de reconnaissance envers notre héros depuis que ce dernier avait réussi à persuader Louis XV, par l'intermédiaire du Dauphin, d'honorer de sa visite l'Ecole Militaire que le financier avait construite en partie de ses deniers. Mais Beaumarchais ne s'en tint pas là. Il voulut acquérir une charge de maître des Eaux et Forêts, mais dut y renoncer devant l'opposition des maîtres en place à l'égard du parvenu. Il obtint une compensation en achetant, en 1763, l'office de « *Lieutenant-général de la capitainerie de la Varenne du Louvre* » qui lui permit d'aller, deux fois par mois, siéger au Louvre en robe longue pour juger les braconniers des chasses royales. On voit combien Beaumarchais faisait cas de l'honneur et du rang et comme il avait, personnellement, peu d'intérêt à voir disparaître l'Ancien Régime.

30

A l'image de son créateur, Figaro est respectueux de l'ordre établi. Il critique les excès de pouvoir, la morgue d'Almaviva mais non l'exercice de ses prérogatives seigneuriales, si ce n'est ce prétendu droit de cuissage dont il a personnellement à souffrir. Depuis *Le Barbier de Séville*, Figaro s'est d'ailleurs embourgeoisé. Désireux de mettre un terme à sa vie d'aventures, il borne désormais son ambition à jouir confortablement de son état de concierge du château, logé dans la magnifique chambre que Monseigneur lui abandonne. Du reste, il est assez dédaigneux pour la « *canaille* ». Beaumarchais résume le petit peuple en des stéréotypes grossiers et ridicules : ceux d'Antonio, toujours entre deux vins, et de Gripe-Soleil, le « *jeune pastoureau* » au patois pittoresque que Figaro se permet de rudoyer. Ce n'est certes pas pour ces gens-là que l'auteur demande de la considération. Ce qu'il exige c'est que l'on reconnaisse le talent à côté de la naissance. Il veut que les hommes intelligents et entreprenants, comme Figaro ou lui-même, puissent faire carrière et s'intégrer à la bonne société. Il n'y a aucune volonté de destruction derrière cela, et c'est en toute bonne foi qu'il se moque, dans la préface, des craintes pusillanimes de ses détracteurs : « *Ainsi dans* Le Barbier de Séville *je n'avais qu'ébranlé l'Etat ; dans ce nouvel essai, plus infâme et plus séditieux, je le renversais de fond en comble* ». Telle n'était certes pas l'intention de Beaumarchais.

Il n'en reste pas moins que *Le Mariage de Figaro* fut reçu par le public comme une pièce politique. Les élites ont eu deux attitudes opposées à son égard, mais qui se sont placées, l'une et l'autre, sur ce terrain-là. Les gens du parti du comte de Provence et du roi ont tout de suite considéré la pièce comme un danger pour l'ordre établi. Leurs adversaires, du clan du comte d'Artois, de Vaudreuil, voire des Polignac, ne prirent pas garde aux arguments que l'on pouvait tirer de la comédie contre la société de l'époque, contre leurs privilèges, contre eux-mêmes. Ils ont applaudi *Le Mariage de Figaro* parce qu'il avait été interdit par le roi. Ils se sont réjouis qu'il soit donné au public parce que la volonté royale en était bafouée. Ils ont célébré l'événement comme un recul du «*despotisme*», un triomphe de la liberté sur la censure, alors qu'ils n'avaient en vue que leurs intérêts égoïstes. Ceux-là ont annexé Beaumarchais pour faire de son combat un élément de la lutte que, depuis long-temps, la grande noblesse avait engagée pour affaiblir la monarchie. Dans la lignée de toutes les frondes aris-tocratiques, notamment celle du parti de Choiseul de-puis sa disgrâce de 1770, plus encore celle des parle-mentaires, ils n'ont vu dans le *Mariage* qu'une machine de guerre pour abaisser le pouvoir royal et donc, para-doxalement, servir l'aristocratie.

Le scandale déclenché par la comédie de Beaumar-chais nous apparaît ainsi, dans toutes ses dimensions, comme un événement symbole de l'Ancien Régime finissant. Il rassemble en effet, en les condensant, trois caractères essentiels de cette époque riche en contras-tes.

L'extravagance de la «*folle journée*» du 27 avril 1784, à la fois fait culturel de premier ordre et événe-ment mondain dont la portée dépasse largement Paris et même les frontières du royaume, est comme le point d'orgue de l'époque des Lumières, manifestation écla-tante du bonheur de vivre en France et du rayonnement de l'esprit français. Sept mois après le traité de Paris qui a mis fin à la guerre d'Indépendance américaine, le royaume de Louis XVI est au zénith de son prestige international. Il déborde d'un appétit de vivre que sti-mulent la jeunesse de sa population et l'essor séculaire de son économie. Sûr de lui, confiant dans le progrès matériel et celui de l'esprit, le pays aspire à la jouissance immédiate qu'il recherche dans l'accumulation des plaisirs, dont celui de la fête théâtrale est une des manifestations les plus voyantes.

Par contraste, le scandale du *Mariage de Figaro* est comme la caisse de résonnance du malaise qui taraude cette France à la façade si brillante. La rigidité des structures sociales, le retournement de la conjoncture économique qui a pratiquement coïncidé avec l'accession de Louis XVI au trône, en 1774, entraînent une double insatisfaction des Français. L'une n'apparaît pas dans la comédie de Beaumarchais : c'est celle du petit peuple pour lequel la persistance d'une certaine misère, exaspérée par le fléchissement des affaires, paraît de plus en plus difficile à admettre au spectacle de l'enrichissement des plus favorisés. L'autre est au cœur même de la pièce : c'est celle de la bourgeoisie qui a accumulé les profits et conquis la culture, pressée désormais de partager les titres et les privilèges d'une aristocratie peu encline, de son côté, à galvauder ce qui fait son originalité, le seul patrimoine qui continue à la distinguer de l'élite de la roture. Cette société en crise élabore, depuis déjà quelques décennies, une critique du régime qui forme le fonds commun des « *idées nouvelles* ». Après la disparition des grands philosophes (Voltaire et Rousseau sont morts en 1778, Diderot va s'éteindre trois mois après la « *première* » du *Mariage*), ces idées sont souvent popularisées par la littérature de divertissement et la pièce de Beaumarchais est un bon exemple du rôle de relais que celle-ci a pu jouer dans la vulgarisation de la « *philosophie* ».

Mais, nous l'avons vu, *Le Mariage de Figaro* n'aurait pas fait scandale sans l'intervention maladroite du pouvoir. C'est lui qui, par ses hésitations, de l'interdiction à la liberté, par ses tentatives pour imposer de force sa volonté qui étaient toujours suivies de reculs, a transformé une pièce de théâtre en une «*affaire*». Or, les volte-face de la monarchie à propos de la comédie de Beaumarchais reflètent tout à fait la politique en dents de scie d'un pouvoir royal qui n'a jamais su persévérer dans ses choix, ou plutôt qui a toujours été incapable de choisir entre conservatisme et réforme. Cela se voit au plan économique et social où les gouvernements successifs ont sans cesse hésité entre libéralisme et colbertisme, au plan des idées où l'on a toujours balancé entre tolérance et répression et surtout au plan politique. Dans ce domaine, les timides essais pour proposer une voie «*à la française*» vers le despotisme éclairé qui aurait pu sauver la monarchie, ont toujours échoué devant les résistances conjuguées des privilégiés, comme la volonté de Louis XVI de maintenir l'interdiction du *Mariage de Figaro* s'est finalement brisée contre l'écueil des cabales de la Cour.

LA PUISSANCE ET LA GLOIRE

Au temps de Louis XVI, la France exerce une grande attraction sur l'étranger. N'est-ce pas en 1777 que le marquis de Caraccioli, ambassadeur de Naples à Paris, publie *L'Europe française*? Il y fait cette réflexion : «*Jadis tout était romain, aujourd'hui tout est fran-çais*» [1]. Sans doute la suprématie du royaume des Bourbons est en partie illusoire : l'Angleterre a une certaine avance économique sur la France ; elle possède une société plus ouverte dans laquelle l'ascension des gens à talents est relativement facile ; sa culture a été plus tôt sensible aux émotions nouvelles du romantisme. Mais en 1784, l'Angleterre vient d'être battue et le rayonnement français est considérable. Il est fondé sur trois éléments principaux : la puissance militaire, le prestige culturel, et un certain « *art de vivre* » qui est sans doute ce qui séduit le plus les étrangers.

Les lendemains de la victoire

Au moment où *Le Mariage de Figaro* triomphe en public, la France sort auréolée de la guerre d'Indépendance américaine. Alors que les grands conflits du siècle, de la guerre de Succession d'Espagne à celle dite de Sept Ans, s'étaient soldés par des demi-succès ou de cinglants échecs, Louis XVI renoue avec la franche victoire sur l'ennemi héréditaire anglais. Madame Campan écrit dans ses *Mémoires* : « *une paix glorieuse avec l'Angleterre avait réparé, pour l'honneur français, les anciens outrages de nos ennemis ; (...) la France avait le sentiment intime de ses forces et de sa richesse* » [2].

Sans doute le traité signé à Versailles le 3 septembre 1783 ne fut pas la grande revanche attendue sur celui de Paris qui, vingt ans plus tôt, avait coûté à la France de larges pans de son empire colonial. Les compensations tirées de la participation à la guerre américaine étaient, somme toute, modestes : la possession confirmée des comptoirs de l'Inde, maigres vestiges de l'œuvre de Dupleix, le retour de ceux du Sénégal perdus au traité de Paris, la restitution de Saint-Pierre et Miquelon occupés par les Anglais ainsi que celle des Antilles auxquelles venaient s'ajouter Tabago et Sainte-Lucie, l'abrogation des articles humiliants du traité de Paris qui interdisaient de fortifier Dunkerque et obligeaient à y tolérer un commissaire britannique. Le projet d'un accord commercial à réaliser dans les deux ans avec l'Angleterre, s'il était conforme aux idées libérales dominantes, ne pouvait être tenu à coup sûr pour un avantage. Grâce à l'avance technologique de l'industrie anglaise, ses produits, fabriqués à meilleur prix, risquaient de porter préjudice aux productions similaires de la France.

La diplomatie de Louis XVI n'avait pas su non plus faire triompher les intérêts de l'allié espagnol. Charles III ne s'était lancé dans la guerre, en 1779, que contre l'engagement pris par la France d'obtenir le retour de la partie de la Floride qu'avait cédée l'Espagne à l'Angleterre en 1763, mais aussi l'abandon de tout le bassin du Mississipi. Or, si les Anglais restituèrent bien la Floride, par les accords signés avec les Insurgents à Paris, le même jour que le traité de Versailles, ils leur cédèrent tout le territoire situé entre les Appalaches et le grand fleuve. Ils conservèrent en outre Gibraltar au grand dépit des Espagnols.

La France n'avait donc pas tiré de la guerre d'Amérique tout le bénéfice escompté, c'est le moins qu'on puisse dire. Pourtant elle sortait de l'épreuve avec le double prestige que lui donnaient la victoire militaire remportée sur la première flotte du monde et le fait d'avoir permis aux Insurgents de se libérer de la tutelle de Londres en faisant reconnaître leur droit à se gouverner eux-mêmes. Le parti philosophique célébra avec fracas ce qu'il interprétait comme un triomphe pour les idées nouvelles.

Or, il se trouve que l'histoire de la liberté américaine est très étroitement liée à celle du père de Figaro. Si, en effet, la France n'est intervenue officiellement qu'en 1778, elle a soutenu clandestinement les révoltés d'Amérique dès 1776 et Beaumarchais a joué un grand rôle dans cette aide.

Depuis le ministère de Choiseul, la France cherchait sa revanche sur la guerre de Sept ans. La diplomatie secrète de Louis XV avait accumulé les notes, les mémoires, les plans, en prévision d'un nouveau conflit que Vergennes, nommé par Louis XVI aux Affaires étrangères, pensait inévitable. Il y voyait des avantages à la fois sur les plans militaire et économique : abaisser la puissance de l'Angleterre, lui ravir le marché des treize colonies, reprendre quelques-unes des possessions perdues en 1763. Cependant il reculait l'heure d'affronter la marine formidable de George III. Il fallait, au préalable, décider l'Espagne à entrer en guerre aux côtés de la France. Les deux Bourbons étaient, il est vrai, liés par le « *pacte de famille* », mais la diplomatie de Charles III croyait pouvoir faire l'économie des armes. Elle essaya longtemps d'obtenir à l'amiable, en échange de sa médiation, les avantages recherchés (Gibraltar, la Floride et le bassin du Mississipi).

Hésitant à déclencher dans ces conditions un conflit ouvert, Vergennes se résolut d'abord à aider les Insurgents en sous-main. Il fallait pour cela un homme de confiance déjà aguerri dans les missions secrètes. Beaumarchais se proposa.

Pierre-Augustin s'était réfugié à Londres en 1774 à la suite d'une de ces affaires compliquées qui parsemèrent sa vie, ses démêlés avec le conseiller Gœzman. Il avait été confronté à ce personnage à l'occasion d'un procès qui l'opposait au comte de La Blache, légataire universel de Pâris-Duverney. On sait que ce financier s'était pris d'amitié pour Beaumarchais. Peu avant sa mort, en 1770, il lui avait signé une reconnaissance de dette de 15 000 livres et s'était engagé à lui prêter 75 000 livres pendant huit ans, sans intérêts. La Blache, prétendant que l'acte était faux, avait poursuivi Beaumarchais devant le tribunal des requêtes de l'Hôtel qui l'avait débouté de sa demande. Il avait alors fait appel devant le nouveau Parlement de Paris, celui que le chancelier Maupeou avait mis en place au lendemain de sa réforme de 1771, tentative pour briser l'indépendance et le pouvoir de la magistrature [3] . Le 1er avril 1773, le conseiller Gœzman avait été nommé rapporteur du dossier. Beaumarchais tenta de le gagner à sa cause. Gœzman avait une femme aussi étourdie qu'elle était jeune et jolie. Notre auteur lui graissa la patte afin d'obtenir audience auprès de son mari. Hélas, cela ne l'empêcha pas d'être condamné par le Parlement, sur le rapport du conseiller. Peut-être La Blache avait-il su se montrer plus généreux...

Voilà donc Beaumarchais astreint à payer 56 300 livres, sans compter cinq années d'intérêts et les frais du procès. Mais il y avait plus grave : condamné comme faussaire, il perdait sa réputation. Or cette catastrophe l'atteignait au moment où il était emprisonné au For-Lévêque pour avoir frappé un pair de France, le duc de Chaulnes qui l'avait, il faut le dire, sauvagement agressé parce que Beaumarchais lui avait soufflé sa maîtresse.

Au lieu de se laisser abattre, Pierre-Augustin fut galvanisé par l'adversité. Il écrivit coup sur coup quatre *Mémoires* contre Gœzman, chefs-d'œuvre de la littérature pamphlétaire qui mirent de son côté les rieurs et les beaux esprits, jusqu'au patriarche de Ferney, pourtant partisan du Parlement Maupeou. Cet appel à l'opinion était un coup de génie. Sans lui le Parlement aurait sans doute écrasé Beaumarchais, mais il n'osa pas exercer sa vengeance sur un homme qui avait acquis une si brillante popularité. Il énonça, le 26 février 1774, un nouveau jugement en forme de compromis : Gœzman était mis « *hors de Cour* », son épouse blâmée, ainsi que Beaumarchais dont les *Mémoires* devaient être « *supprimés* ». En réalité, c'est Gœzman qui était condamné. Le Parlement n'osa même pas procéder à la cérémonie publique du blâme qu'il devait infliger à Beaumarchais. Cela risquait de tourner à sa confusion tant Pierre-Augustin avait de partisans, et des plus illustres : le prince de Conti, farouche adversaire des magistrats mis en place par Maupeou, n'avait-il pas offert une fête magnifique pour célébrer le fameux blâme [4] ?

Le triomphe de Beaumarchais ne supprimait pourtant pas la réalité de la peine infâmante qui le frappait. Cela était d'autant plus fâcheux pour lui qu'il s'était mis en mauvaise posture en ridiculisant le Parlement Maupeou. Il avait naturellement irrité le roi qui soutenait son ministre et donc il fallait obtenir sa réhabilitation.

Réfugié à Londres où il se fait appeler Monsieur de Ronac, anagramme de Caron, Beaumarchais fait offrir ses services à Louis XV qui accepte de lui donner sa chance. Pierre-Augustin reçoit la mission de faire détruire une pièce ordurière dont Charles Théveneau de Morande, louche aventurier et auteur à scandale, venait d'annoncer la parution prochaine. Il s'agissait des *Mémoires secrets d'une femme publique*, autrement dit la comtesse du Barry. Beaumarchais réussit dans son entreprise : il obtient la destruction des *Mémoires* et fait enrôler Morande dans les services secrets. Mais, Louis XV meurt sur ces entrefaites. C'est de son petit-fils qu'il faut, désormais, obtenir le rachat. De retour à Paris, Beaumarchais fait savoir à Louis XVI par l'intermédiaire de son ami Sartine, lieutenant de police de Paris et futur ministre de la Marine, qu'un certain Angelucci, qui se fait appeler en Angleterre Atkinson, est sur le point de répandre un nouvel écrit pornographique, *Avis à la branche espagnole sur ses droits à la Couronne de France, à défaut d'héritiers* (...), lourd d'allusions graveleuses aux causes de la stérilité de Marie-Antoinette. Monsieur de Ronac repart pour Londres avec mandat de détruire le libelle. Après des péripéties rocambolesques qui conduisirent Beaumarchais jusqu'à Vienne, où il fut un moment emprisonné, l'affaire se termina au mieux : le pamphlet disparut. On ne sait d'ailleurs si c'est grâce à Pierre-Augustin, qui composa une version très romancée de l'histoire, ou si c'est parce que les louches personnages à qui on devait ces feuilles scandaleuses, avaient jugé plus prudent d'arrêter leur diffusion.

Malgré cela, Beaumarchais n'obtint pas encore son pardon. Il dut se prêter à une troisième mission où l'on retrouve la guerre américaine. Il s'agissait d'obtenir du chevalier d'Eon un dossier compromettant pour les activités de la diplomatie secrète française. Le chevalier avait repéré sur les côtes anglaises les sites favorables à un débarquement et il pouvait être tenté de vendre au plus offrant sa correspondance avec le gouvernement de la France. Pierre-Augustin se rendit donc à Londres de nouveau et conclut, en novembre 1775, un accord avec « *Demoiselle d'Eon de Beaumont* », car c'est sous son habituel travestissement féminin que le chevalier s'était présenté à lui. La prétendue demoiselle s'engageait à remettre ses papiers contre paiement de ses dettes et une pension de 12 000 livres augmentée d'une subvention pour l'achat d'un trousseau de femme. Beaumarchais allait enfin obtenir sa récompense le 6 septembre 1776 : l'annulation de la sentence de blâme et sa réhabilitation.

A Londres, il avait pris contact avec des émissaires des Insurgents et avait vite réalisé tout le profit qu'il pouvait tirer de ces relations pour sa carrière. C'est pourquoi, il adressa à Louis XVI, entre septembre 1775 et février 1776, trois mémoires dans lesquels il le pressait de soutenir les Américains en faisant un sombre tableau de la situation actuelle de l'Angleterre. Il suggérait au roi de choisir comme intermédiaire avec les treize colonies un « *habile homme* »... qui ne pouvait être que lui-même. La suggestion fut agréée. Vergennes décida de faire ravitailler les Insurgents par le truchement de Beaumarchais. Les milices américaines manquaient cruellement d'armes, de munitions, d'équipements divers : Pierre-Augustin les leur fournirait et serait payé en retour de denrées coloniales, notamment de tabac. L'opération serait donc rentable mais, pour en faciliter le démarrage, le gouvernement français versa un million de livres à Beaumarchais et obtint de l'Espagne le paiement d'une somme identique. Notre héros déguisa son nom en Hortalez, fonda pour camoufler ses activités, une pseudo maison de commerce franco-espagnole ayant pour raison sociale *Roderigue Hortalez et Cie.* Il se constitua une flotte avec des capitaux prêtés par des armateurs et financiers, allant jusqu'à acheter à la Royale un bâtiment pour accompagner les navires marchands, l'*Hippopotame*, auquel il donna le nom plus guerrier de *Fier Roderigue.* [5]

Le trafic clandestin de fusils, canons, poudre, vêtements pour les miliciens, commença en 1777, mais n'alla pas sans difficultés de toute sorte. Tenter de se faire payer par les Insurgents n'était pas la moindre. Beaumarchais avait négocié avec Silas Deane, représentant officiel des Américains à Paris, l'expédition de « *retours* » en produits coloniaux d'une valeur équivalente à celle des cargaisons envoyées aux Etats-Unis mais comme l'accord n'avait pas été ratifié par le Congrès, celui-ci l'ignora. Les navires revinrent à vide et Beaumarchais aurait fait faillite dès le printemps de 1777 si Vergennes ne lui avait accordé un troisième million de livres.

Le père de Figaro fut donc un des intermédiaires privilégiés par lequel transita l'aide française aux treize colonies. On sait que les Insurgents bénéficièrent aussi du secours de nombreux volontaires. Un adjudant-général d'artillerie, Du Coudray, partit outre-Atlantique pour organiser l'artillerie et le génie. Silas Deane ouvrit un bureau de recrutement où affluèrent surtout de jeunes nobles, avides de gloire ou enflammés par la cause de l'indépendance américaine : les La Fayette, Noailles, Ségur entre autres. Beaumarchais intervint encore pour suppléer, en partie, les carences du Trésor de la jeune République incapable de payer la solde des officiers.

Cependant, il était de plus en plus difficile à la France de ne pas intervenir ouvertement. L'opinion publique commençait à chansonner la « *couardise* » du gouvernement. La guerre avait réveillé l'anglophobie latente et les Américains étaient très populaires. Benjamin Franklin, le « *sage de Philadelphie* », que le Congrès avait envoyé à Paris en septembre 1776, reçut un accueil extraordinaire. Les salons s'arrachaient le bonhomme aux gros souliers, symbole de toutes les vertus bourgeoises, et sa rencontre avec Voltaire à l'Académie des Sciences fut célébrée comme l'événement du siècle. Vergennes pouvait craindre, par ailleurs, que les attermoiements des Français ne favorisent une réconciliation des deux adversaires dans leur dos.

C'est la victoire des Insurgents à Saratoga, le 17 octobre 1777, qui décida le gouvernement de Louis XVI. Le 6 février suivant, il signait avec les Etats-Unis un traité de commerce, d'alliance et d'amitié. En avril 1779, la France entraînait l'Espagne dans le conflit [6].

La guerre ouverte changea quelque peu la nature des opérations commerciales de Beaumarchais. Désormais il travailla pour son propre compte et non plus pour celui du gouvernement. Mais il éprouva toujours les plus grandes difficultés à se faire payer par le Trésor américain. A la fin de la guerre, Silas Deane évaluait la dette du Congrès à son égard à 3 600 000 livres, sur laquelle ses héritiers toucheront 800 000 francs... en

1835. L'un dans l'autre, Beaumarchais réussit pourtant à équilibrer ses comptes et même au-delà, grâce aux dommages de guerre qu'il obtint de la France et au commerce fructueux qu'il continua à faire avec les Etats-Unis une fois le conflit terminé. De toute façon, il ne s'était pas lancé dans l'entreprise uniquement par esprit de lucre. Il avait également agi par patriotisme anglophobe, et s'était laissé emporter dans un élan généreux par les grands principes de liberté, d'indépendance, que représentait la cause américaine. Comme beaucoup de ses contemporains, Beaumarchais mariait sans aucune gêne les grands idéaux et ses petits intérêts.

Le père de Figaro est sans nul doute l'un des Français qui ont travaillé le plus efficacement à la victoire sur l'Angleterre. Il n'en retira pas les lauriers d'un La Fayette qui, revenu en France après la victoire décisive de Yorktown, le 19 octobre 1781, fut couronné de fleurs à l'Opéra (janvier 1782) et fait maréchal de camp. Mais il reçut sa part de gloire : une lettre de félicitations de l'amiral d'Estaing pour la conduite, face à l'ennemi, de son vaisseau, le *Fier Roderigue*. Celui-ci avait en effet été réquisitionné en 1779 et il avait participé à la semi-victoire de la Grenade, ce qui avait d'ailleurs coûté à Beaumarchais la capture de sa flotte de commerce... [7]

Le prestige militaire

Au lendemain du traité de Versailles, la puissance militaire de la France est donc considérable et le prestige de son armée, et surtout de sa flotte, est en forte hausse tant dans le royaume qu'à l'étranger.

Reconstituée par Choiseul après le désastre de la guerre de Sept Ans, la marine a bénéficié au temps de Louis XVI des efforts de Sartine (ministre de 1774 à 1780) et de l'intérêt particulier du roi. Au sortir de la guerre américaine, elle était, par son effectif, à peu près inférieure de moitié à la marine anglaise. Ainsi, vers 1785, la France disposait de 71 vaisseaux de ligne contre 135 pour la Royal Navy, mais si l'on compte l'allié espagnol, l'équilibre était rétabli [8]. Pendant la guerre, la marine de Louis XVI avait d'ailleurs soutenu honorablement la comparaison. Bien sûr il y avait eu quelques revers cruels comme la défaite des Saintes (12 avril 1782), mais les Anglais avaient été tenus en échec assez souvent, des combats indécis de 1778 au large d'Ouessant aux brillantes campagnes de Suffren en Inde (1782-1783). Chaque exploit de la Royale avait soulevé l'enthousiasme des Français. On avait vu, par exemple, les élégantes se coiffer « *à la Belle Poule* » pour célébrer la résistance victorieuse de la frégate qui portait ce nom contre l'Aréthuse anglaise (17 juin 1778) [9].

L'armée de terre n'avait sans doute pas suscité le même engouement que la flotte dans un conflit où son rôle était beaucoup moins spectaculaire. Elle était cependant solide. Forte de 150 à 160 000 hommes, elle se plaçait au 4e rang européen derrière la Russie, l'Autriche et la Prusse, mais elle avait d'autres atouts que le nombre de ses soldats. Son armement, par exemple, était remarquable avec le fusil modèle 1777 et les fameux canons de Gribeauval. Ce dernier, inspecteur de l'artillerie, avait achevé au temps de Louis XVI les réformes entreprises à l'époque de Choiseul. L'artillerie de la France était désormais la première du monde comme devaient le montrer les guerres de la Révolution et de l'Empire.

L'armée de terre avait, en outre, gagné en mobilité depuis que Saint-Germain, Secrétaire d'Etat à la Guerre de 1775 à 1777, avait réduit la grosse cavalerie au profit de la cavalerie légère et introduit, dans chaque régiment, des corps de chasseurs, légers eux aussi. La tactique était d'ailleurs l'objet d'un grand débat entre les novateurs, partisans de « *l'ordre mince* » ou de la ligne, et les défenseurs de la colonne et de « *l'ordre profond* ». Les controverses allaient bon train depuis la parution, en 1772, de l'*Essai général de tactique* de François de Guibert, qui choqua beaucoup de monde par sa hardiesse bien qu'il prônât l'utilisation combinée des deux « *ordres* ».

La formation des officiers s'était également améliorée depuis le milieu du siècle. En 1776, on avait ouvert en province douze écoles militaires dont les meilleurs élèves devaient parfaire leurs études à l'Ecole de guerre qui, en 1777, avait remplacé dans les mêmes locaux l'Ecole Militaire construite par Pâris-Duverney. A côté des élèves payants, les écoles militaires devaient accueillir des fils de la noblesse pauvre, boursiers du roi.

La promotion sociale de la petite noblesse par l'armée était une des grandes idées de Saint-Germain. Toute une campagne d'opinion en sa faveur avait d'ailleurs été lancée depuis les années cinquante, à l'occasion d'un grand débat qui s'était ouvert sur la place des nobles dans la nation. En réponse au plaidoyer de l'abbé Coyer pour *La noblesse commerçante* (1756), le chevalier d'Arcq avait publié *La noblesse militaire* pour rappeler la vocation des nobles au métier des armes. Par une longue suite de mesures, les gouvernements successifs avaient alors cherché à sauvegarder les intérêts de la noblesse pauvre, à la fois contre la concurrence de la riche bourgeoisie et contre l'exclusivisme des grands seigneurs. Ainsi s'expliquent aussi bien les réformes de Choiseul (le roi reprenant la propriété des régiments et des compagnies possédés jusque-là par les colonels et les capitaines — 1762), l'ordonnance du 25 mars 1776 qui entreprenait d'éteindre la vénalité des charges militaires par réduction du quart de leur valeur à chaque mutation, ou encore le fameux « *édit* » de 1781 dû au marquis de Ségur, un des successeurs de Saint-Germain au Ministère de la Guerre, qui réservait l'accès au grade de lieutenant sans passer par le rang, aux hommes dont un acte authentique aurait certifié la possession de quatre degrés de noblesse.

L'ensemble de ces réformes avait agrandi le fossé entre les officiers et la troupe. Les capitaines, qui n'étaient plus propriétaires de leur compagnie, avaient vu leur temps de commandement limité à deux années par Saint-Germain. Le fait qu'ils « *tournaient dans leur régiment* » contribuait à distendre le lien qui les unissait jadis aux soldats. Ces derniers n'avaient que très peu de chance d'accéder à l'épaulette : les « *officiers de fortune* » sortis du rang ne représentaient guère que 12% de l'ensemble du corps. La fréquence de plus en plus grande des officiers issus des écoles où, malgré les dispositions de Saint-Germain, la grande noblesse fit prime, augmentait encore la distance avec la troupe [10].

Par contre, la culture acquise par beaucoup d'officiers rehaussait leur prestige. Nombreux étaient ceux qui faisaient partie des loges maçonniques, des académies, qui étaient reçus dans le monde. Guibert, par exemple, était un des piliers du salon de Mademoiselle de Lespinasse dont il fut d'ailleurs le grand amour. Il ne manquait pas non plus de militaires écrivains et leurs travaux étaient souvent imprégnés de l'esprit des Lumières.

Le simple soldat lui-même bénéficiait d'une popularité grandissante à la fin de l'Ancien Régime. Longtemps on l'avait considéré avec suspicion, redoutant sa violence et ses débauches. On l'avait exclu des théâtres et des jardins publics. Ce n'est qu'en 1783 qu'on autorisa les Gardes françaises à emprunter le coche pour se rendre à leur poste de Fontainebleau. C'est qu'ils faisaient désormais beaucoup moins peur. La police de Paris améliorée, la sévérité accrue des juges, le renforcement de la discipline par l'autorité militaire, les progrès du casernement rassuraient les civils. Les *Mémoires secrets*, dits de Bachaumont, affirment, en 1786, que les soldats aux Gardes sont désormais «*tenus sévèrement comme des séminaristes*» [11].

L'opinion se prend volontiers de compassion pour le militaire. Elle est sensible à la campagne en faveur de l'abolition de la peine de mort qui frappait en principe les déserteurs même en temps de paix. Inspirée de Beccaria, cette campagne se nourrit des ouvrages du vicomte de Flavigny (*Réflexions sur la désertion*, 1768) et de Servan, futur ministre de la Guerre girondin (*Le soldat citoyen*, 1780). D'ailleurs la peine de mort, déjà rarement appliquée, avait été remplacée, dès 1775, par les travaux forcés. En 1786, on leur substituera la punition des baguettes.

En même temps s'élabore l'image du soldat-philosophe. Le *Bélisaire* de Marmontel (1767) cherche à émouvoir le spectateur sur les malheurs d'un vieil homme de guerre sage et vertueux. David expose deux *Bélisaire* aux salons de 1781 et 1785. Toute une littérature s'intéresse d'ailleurs à l'éducation morale du militaire. Des recueils d'anecdotes édifiantes comme celui de Baculard d'Arnaud (*Délassements de l'homme sensible*) paru l'année du *Mariage de Figaro* élèvent au pinacle le personnage du simple soldat, pétri de vertu, et l'opposent volontiers à l'officier débauché. Il s'agit, en fait, d'un cas particulier du contraste entre la haute moralité de l'homme du peuple et les vices de l'aristo-crate, dans lequel se complaît la littérature des Lu-mières.

Enfin, on considère de plus en plus le militaire comme un être « *utile* » à la société civile. La plupart de ceux qui écrivent sur la place du soldat dans la Nation souhaitent qu'il soit employé dans l'agriculture ou les travaux de terrassement, à l'imitation d'une Rome idéalisée.

L'époque de Louis XVI voit donc « *le militaire réha-bilité* » dans l'opinion française, surtout parisienne [12]. Mais, paradoxalement, c'est un soldat aux vertus civi-les que l'on exalte. C'est le « *soldat-citoyen* » de Ser-van, plus beau fleuron de la Nation, que la Révolution tentera de mettre en œuvre, du moins dans ses dé-buts [13].

En fait, bien que le prestige de la France soit sorti grandi de la guerre d'Indépendance américaine, ce n'est pas sa force militaire qui lui appporte le plus de considération de l'étranger, sans doute parce que l'ar-mée de terre n'a pas vraiment été engagée dans le conflit. Ce n'est qu'à l'époque révolutionnaire et impé-riale que l'Europe aura la révélation de la puissance française dans le domaine des armes, une puissance qui doit beaucoup aux derniers gouvernements de l'Ancien Régime.

A l'époque de Louis XVI la gloire de la France reste plutôt dans le rayonnement de sa culture, au sens large du terme, de la littérature et des beaux-arts jusqu'à la mode, à la cuisine et aux mille détails du savoir-vivre.

Le rayonnement culturel

La culture française est répandue jusqu'aux extrémités de l'Europe par les écrits et par les hommes. Les voyages sont beaucoup plus fréquents au XVIIIe siècle qu'on ne se l'imagine aujourd'hui. Les uns se déplacent pour le plaisir, la curiosité ou pour achever leur formation, les autres pour des raisons professionnelles.

Parmi ces derniers, on trouve encore beaucoup de militaires. Bien que l'époque des condottieri soit passée depuis longtemps, il existe encore des gentilshommes qui viennent offrir le secours de leur épée à un pays étranger. Le cas le plus illustre a sans doute été, au temps de Louis XV, celui de Maurice de Saxe, le vainqueur de Fontenoy (1745). Plus tard le comte suédois Axel de Fersen, l'ami de Marie-Antoinette, a participé à la campagne d'Amérique comme colonel du Royal Bavière. L'éveil des consciences nationales qui caractérise l'époque des Lumières n'empêche pas de recruter des hommes de troupe hors des frontières. On compte peut-être 20% d'étrangers dans l'armée française, qui servent au sein des régiments nationaux ou dans des unités particulières comme le Royal-allemand ou le Royal-italien. A l'inverse, bien des Français s'engagent au-dehors, par exemple dans le « *Französische Freibataillonen* » de Prusse. Jean-Baptiste Kléber, futur héros de la Révolution, a fait son apprentissage dans l'armée autrichienne [14].

De toutes les activités professionnelles, le négoce et l'armement maritimes sont évidemment celles qui entraînent le plus nécessairement les échanges d'hommes. Les grands ports du royaume abritent d'importantes colonies étrangères dont les membres sont autant d'intermédiaires de la culture française. A Bordeaux, au début du règne de Louis XVI, le quart de l'effectif des négociants est constitué d'étrangers. Les plus nombreux y sont les Allemands, suivis de loin par les Anglais, puis les Hollandais. A l'inverse on trouve des Français dans toutes les grandes places de commerce européennes. Le négoce bordelais est représenté à Amsterdam, Hambourg et jusqu'à Saint-Pétersbourg par des commissionnaires dont les uns sont les descendants de Huguenots qui ont quitté la France après la révocation de l'Edit de Nantes et d'autres sont arrivés au milieu du XVIIIe siècle en raison de l'essor du trafic colonial [15].

Beaumarchais, qui fut homme d'affaires avant d'être homme de lettres, eut ainsi l'occasion, en 1764, de se rendre en Espagne pour tenter d'emporter auprès du gouvernement de Madrid le privilège de l'approvisionnement en esclaves des possessions espagnoles, celui du ravitaillement de l'armée et aussi le droit de coloniser la Louisiane et la Sierra Morena. Il agissait pour le compte d'un consortium dirigé par son protecteur, Pâris-Duverney. Cette mission fut un échec mais elle permit à Beaumarchais de ramener de son séjour ibérique les éléments de couleur locale nécessaires au *Barbier de Séville* puis à la transposition en Espagne du *Mariage de Figaro* [16].

Beaucoup de professions autres que celles du commerce entraînent des voyages à l'étranger : par exemple celles d'ingénieur ou de manufacturier. Ainsi, c'est à l'association des Wilkinson avec les de Wendel que l'on doit la mise à feu au Creusot, en 1785, des premiers hauts fourneaux du royaume fonctionnant au coke. Même pour de pauvres gens, les frontières sont loin d'être infranchissables malgré les difficultés de communication. Les frontaliers vont souvent travailler à l'étranger : c'est partiellement à la main-d'œuvre rous-sillonnaise que la Catalogne espagnole doit son déve-loppement extraordinaire au XVIIIᵉ siècle [17]. Du cœur même de la France partent des courants d'émigration temporaire, comme celui qui conduit dans la péninsule ibérique, voire dans les Pays-Bas autrichiens et les Provinces-Unies, les chaudronniers de Haute-Auver-gne [18].

Dans ces déplacements professionnels, il faut faire une place à la domesticité au sens le plus large du terme. Partout en Europe il est de bon ton d'engager des serviteurs étrangers. En France, les Allemands pas-sent pour les cochers les plus habiles, les Anglais pour les meilleurs palefreniers. Le terme de jockey a trouvé droit de cité dans le royaume de Louis XVI pour dési-gner les domestiques attachés au service de très jeunes gens [19]. Les gouvernantes anglaises ont aussi beaucoup de succès. En 1773 Madame de Maraise, associée d'Oberkampf, lui demande d'en recruter une à Londres où il se trouve pour affaires : « *Ce serait une veuve, ou fille anglaise, dont l'âge des folies fût passé, sans en avoir fait dans le temps, et qui eût les qualités requises pour faire une bonne gouvernante d'enfant, vous les savez mieux que moi. Tout se trouve réuni dans ces trois points : des mœurs, l'amour du travail et de l'ordre (…)* ». La dame ne cède d'ailleurs pas seulement à une mode ; elle est consciente des avantages pédagogiques qu'il y aurait à utiliser les services d'une telle domesti-que puisqu'elle ajoute à l'adresse d'Oberkampf : « *Vous sentez qu'avec ce que nos enfants auraient à gagner d'une gouvernante de ce caractère, l'anglais qu'ils apprendraient d'elle en jouant serait un accessoire d'un grand prix* » [20].

De leur côté, certains domestiques venus de France étaient fort prisés des aristocrates autrichiens, prussiens, russes ou autres : les précepteurs en tout premier lieu, mais aussi les coiffeurs ou les cuisiniers.

Avec la gastronomie, la mode était déjà l'un des grands canaux de l'influence française. Des poupées mannequins étaient régulièrement expédiées de Paris vers les Cours européennes et l'on rapporte que la comtesse du Nord, belle-fille de Catherine II, emmena 200 malles chargées de robes lorsqu'elle quitta la capitale des Bourbons. Les couturières françaises étaient recherchées à l'étranger. C'est d'ailleurs ce métier que pratiquèrent à Madrid celles que l'on appelait familièrement « *las Caronas* », les deux sœurs de Beaumarchais, Marie-Josèphe et Marie-Louise dite « *Lisette* ».

Les artistes et artisans d'art franchissent, eux aussi, souvent les frontières, appelés par quelque prince ou souverain, ou bien de leur propre initiative, pour enrichir leurs connaissances et leur savoir-faire. Le sculpteur russe le plus admiré, F.I. Choubine, qui a laissé des bustes de Catherine II et de la plupart des grands personnages de sa Cour, avait été l'élève de Pigalle à Paris [21]. C'est aussi dans la capitale française que vivent, au temps de Louis XVI, le Suédois Nicolas Lafrensen, alias Lavreince, ou les ébénistes allemands Oeben et Riesener venus chercher à la fois la consécration et une large clientèle. Bien sûr le mouvement inverse existe également. L'Italie reste le plus merveilleux des musées même si les arts plastiques y connaissent une certaine décadence à la fin du XVIIIe siècle, et de nombreux artistes français lui rendent visite, à l'exemple d'Hubert Robert. Le « *peintre des ruines* » a longtemps séjourné à Rome avant de se fixer à Paris en 1765. Les Cours du Nord attirent également bien des artistes de l'hexagone. Lagrenée dit l'Aîné avait occupé la charge de premier peintre de la tsarine avant de travailler à Trianon pour Marie-Antoinette. La fameuse statue équestre de Pierre-le-Grand à Saint-Pétersbourg est due au ciseau de Falconet, venu, lui aussi, sur les instances de Catherine II en Russie.

Rois et grands seigneurs mécènes aimaient à s'entourer non seulement d'artistes, mais de philosophes et d'hommes de lettres. On connaît le séjour que fit Voltaire auprès de Frédéric II, à Berlin et à Potsdam de 1750 à 1753, ou celui de Diderot à Saint-Pétersbourg à la fin du règne de Louis XV (1773-1774) [22]. Mais des Français moins illustres eurent l'honneur de conseiller l'un ou l'autre des despotes éclairés de l'Europe. Ainsi le banquier Cabarrus, père de la future Madame Tallien, qui fut homme de confiance de Charles III en Espagne. Les Cours, grandes ou petites, servaient de relais pour la culture française.

A l'instar des hommes et des femmes qui se déplaçaient pour leurs affaires, tous ceux qui voyageaient sur le continent pour leur plaisir, ou poussés par la curiosité et le désir de savoir, étaient de véritables ambassadeurs de la France. Qu'ils le veuillent ou non, ils contribuaient à faire connaître les goûts, les modes, la pensée du royaume de Louis XVI. Dans la bonne société européenne, il était de règle qu'un jeune homme accomplisse son « Grand Tour » à travers les principaux pays et le voyage passait obligatoirement par Versailles et Paris. Certains y séjournaient plusieurs mois, voire des années. Ils fréquentaient souvent, plus que la vieille Sorbonne, les cours publics où étaient dispensés les enseignements à la mode : les sciences, les langues, l'histoire. Dans quelques pays voisins, il était de tradition de confier les enfants de la meilleure société à des établissements français d'éducation. Ainsi les Espagnols envoyaient-ils leurs filles apprendre la langue et les bonnes manières dans les institutions religieuses de

Bayonne ou de Pau tandis que leurs garçons allaient à l'école militaire de Sorèze, ou suivaient les cours des facultés de médecine de Montpellier ou de Toulouse.

Les plus grands seigneurs, voire des princes ou des souverains, ont donné l'exemple des voyages. On a déjà évoqué le Grand-Duc Paul et son épouse, devant qui Beaumarchais eut l'honneur de lire *Le Mariage de Figaro* en 1782. Ils avaient été précédés par le plus illustre des hôtes étrangers de cette époque, le propre frère de Marie-Antoinette. C'est en avril 1777 que l'empereur Joseph II avait débarqué à Paris sous le nom d'emprunt de comte de Falkenstein. Mais une foule de « *touristes* » plus modestes parcoururent la France. Arthur Young, qui y fera trois séjours en 1787, 1788 et 1789-90 n'est que le plus célèbre d'entre eux grâce aux *Travels in France* qu'il publiera en 1792.

Les étrangers de quelque envergure ont à cœur de se faire admettre dans les salons. Certains en tiennent d'ailleurs eux-mêmes. Les deux salons les plus courus du Paris des années 1780 ne sont-ils pas ceux du baron allemand d'Holbach et de Madame Necker la Genevoise ? Sans doute l'un et l'autre sont-ils parfaitement francisés, mais d'Holbach fréquente beaucoup d'étrangers, tels que Grimm, Hume, Beccaria et bien d'autres. Quant au salon de Madame Necker, tout à fait cosmopolite lui aussi, il fit l'éducation européenne de Madame de Staël, la fille de l'hôtesse.

Le rayonnement culturel de la France a donc, d'abord, les hommes pour vecteurs. Qu'ils soient Français ou étrangers et, dans ce cas, admiratifs comme beaucoup, ou prompts à dénigrer, ils font connaître hors des frontières du royaume, tout ce qui constitue la culture française. Mais celle-ci est aussi tributaire de l'imprimé, livre ou journal, dont la lecture est facilitée par la connaissance de la langue de Voltaire et de

Rousseau, fort répandue au dehors, dans les élites du moins.

C'est au XVIIIe siècle que le français a connu sa plus grande expansion, s'imposant comme langue internationale. L'Académie de Berlin publiait ses *Mémoires* en français depuis 1743. L'année du *Mariage de Figaro*, elle couronne le *Discours sur l'universalité de la langue française* que Rivarol a rédigé pour répondre à un concours qu'elle avait lancé. On y lisait que l'Europe, formant une « *immense république* » avait besoin d'une langue commune. Celle-ci, prétendait l'auteur, ne pouvait être que le français car sa logique structurelle le rendait plus apte que les autres langues à traduire et transmettre la pensée [23].

Beaucoup d'écrivains dont le français n'était pas la langue maternelle l'utilisaient pourtant couramment : Grimm, d'Holbach déjà cités, mais aussi le Napolitain Galiani et, bien sûr, Frédéric II, la grande Catherine etc. Le français était la langue de Cour de Berlin comme de Saint-Pétersbourg, de Vienne comme de Stockholm, la langue de la diplomatie, souvent celle de la haute noblesse européenne.

Grâce à sa connaissance de la langue, la haute société de toute l'Europe avait un accès direct à la littérature et à la pensée de la France. C'est en français que *Le Mariage de Figaro* a d'abord été représenté à Londres, Varsovie ou La Haye. Pour échapper à la censure les œuvres philosophiques étaient souvent imprimées à l'étranger, mais en français, et répandues hors des frontières du royaume aussi bien qu'au dedans. C'est notamment le cas de l'*Encyclopédie* dont l'histoire a été minutieusement restituée par Robert Darnton [24]. Une seule des six éditions du grand œuvre de Diderot, la première, a été imprimée à Paris. Les autres sont sorties des presses de Lucques, Livourne, Genève et Neuchâtel. L'ouvrage s'est d'ailleurs vendu dans toute l'Europe. En 1789, il en avait été tiré à peu près 24 000 exemplaires dont pratiquement la moitié avait été placée hors de France. Même l'Université de Moscou avait publié, en 1767, un choix de ses articles, en trois volumes [25].

Un réseau assez dense de libraires diffusait les œuvres françaises. En Espagne, où pourtant l'Inquisition avait prohibé la plupart des livres philosophiques, ces derniers pénétraient dans les malles diplomatiques ou par les cent moyens que suscitait l'ingéniosité des passeurs. Des maisons de commerce de Perpignan et de Bayonne s'étaient fait une spécialité d'introduire dans le royaume de Charles III les ouvrages interdits. A Madrid même, une libraire, la veuve Chassereau entreprit de diffuser l'*Encyclopédie méthodique* que Panckoucke avait commencé à imprimer à Paris en 1782 [26].

Les journaux de France étaient aussi répandus à l'étranger. En outre, de nombreuses gazettes publiées hors du royaume étaient rédigées en français, par exemple celles de Hollande, de réputation déjà ancienne, comme la *Gazette d'Amsterdam* ou la *Gazette de Leyde*, celles des Pays-Bas autrichiens comme le *Journal de Bruxelles* qui appartenait à Panckoucke, d'autres encore à Genève, en Allemagne ou ailleurs : on imprima des journaux en français jusqu'en Pologne. Il y avait aussi des feuilles internationales. Ainsi en 1776 un éditeur anglais, Swinton, créa avec un réfugié français, Serge de Latour, *Le Courrier de l'Europe* qui était destiné à la fois aux lecteurs de France et d'Angleterre. Le journal se proposait de donner des extraits de toutes les gazettes paraissant à Londres. Il compta Brissot, futur chef des Girondins, parmi ses rédacteurs et eut jusqu'à 50 000 abonnés, nombre très considérable pour l'époque. Les gouvernements de Louis XVI et de George III le subventionnaient, avec des arrière-pensées politiques évidemment opposées. Certains recueils de nouvelles furent également introduits à l'étranger, tels les *Mémoires secrets* dits de Bachaumont, sorte de chronique de la Cour et de la Ville, publiés en 1777 et continués jusqu'en 1787 [27].

Hommes et écrits communiquèrent à toute l'Europe les idées, les modes, le goût de la France. Dans les deux premiers tiers du XVIIIe siècle, les imitations de Versailles avaient fleuri un peu partout, de Schönbrunn près de Vienne et Sans-Souci à Potsdam jusqu'à La Granja en Espagne. A la fin du siècle, on s'inspire des transformations apportées par Louis XV et Louis XVI à la demeure du Roi-Soleil. Trianon hante les esprits et c'est sur son modèle que Catherine II fait agrandir Peterhof en y multipliant les pavillons qui rappellent les « *fabriques* » du parc de Versailles et portent d'ailleurs des noms français : Marly, Montplaisir, l'Ermitage... Comme les souverains, l'aristocratie européenne rebâtit ou modifie ses hôtels et ses châteaux en s'inspirant de l'exemple français.

L'urbanisme européen est aussi redevable à la France. C'est ainsi que les trois grandes avenues rayonnant depuis le château de Versailles ont été reproduites à Saint-Pétersbourg, avec les trois perspectives (dont la fameuse perspective Newski) qui partent du Palais d'hiver. En réalité, il est difficile de parler de pure influence française. L'urbanisme de Versailles est transposé de la Rome de Sixte-Quint, elle-même héritière de l'Antiquité. Un peu partout en Europe, on retrouve les mêmes thèmes : les plans en damier, les places royales, dont la place Louis XV édifiée par Gabriel (l'actuelle Concorde) est sans doute la plus belle, les rues à arcades, les promenades sur les anciens boulevards militaires. Les urbanistes et les architectes, d'ailleurs comme l'ensemble des artistes, ont, grâce à leurs voyages, amalgamé en eux-mêmes le génie de plusieurs pays et ont propagé de place en place une esthétique devenue internationale. Plutôt que d'une Europe française, il conviendrait mieux de parler d'une Europe cosmopolite.

D'ailleurs l'influence de la France commence à reculer au temps de Louis XVI. Malgré ce qu'en dit Rivarol, l'emploi du français a ses limites. Celles-ci sont d'abord géographiques. Les pays où la langue de Beaumarchais est la plus employée sont l'Allemagne, la Suède, la Russie, le nord de l'Italie et encore seulement dans les villes importantes et le long des grands axes de communication. Par contre le français a beaucoup moins de succès en Angleterre ou en Espagne. Les limites de son emploi sont plus encore sociales. C'est l'aristocratie qui le pratique alors que les classes moyennes, et surtout le peuple, l'ignorent totalement.

Une des causes du déclin du rayonnement de la France est la concurrence que lui fait l'Angleterre. Dans l'hexagone même ne s'est-on pas mis à boire du thé, à manger du *roastbeef*, à jouer au whist et à payer des jockeys à ses enfants? Même la mode, domaine d'excellence de la France, doit accepter de faire leur place aux influences venues d'Outre-Manche. En 1786, le *Cabinet des Modes* prendra symboliquement le titre de *Magasin des modes françaises et anglaises*.

Surtout, le rayonnement français commence à pâtir de l'affirmation des langues et cultures nationales. Le cas le plus typique est celui de l'Allemagne où l'idée de nation, avant de prendre une forme politique, s'est exprimée dans le domaine littéraire, à l'intérieur même du mouvement de l'Aufklärung, pourtant cosmopolite de nature. Beaucoup d'écrivains d'Outre-Rhin rejettent désormais le goût français pour le classicisme, dénoncent la gallomanie de leurs concitoyens, affirment le droit de l'Allemagne à l'indépendance de l'esprit. C'est le cas de Klopstock, qui n'a rien d'un francophobe, mais rassemble autour de lui à Göttingen, dans les années 1780, tout un groupe de poètes animés par le culte d'un passé allemand idéalisé, ou encore de Herder en recherche de tout ce qui fait la germanité et qui influença beaucoup le jeune Gœthe.

Il est certain que l'essor des classes moyennes dans les divers pays d'Europe, l'accession de couches plus larges à la culture, expliquent en partie cette érosion du prestige de la France. A l'esprit cosmopolite des despotes éclairés, des aristocrates et des intellectuels de salon se substituent peu à peu l'attachement aux traditions locales, la pratique de la langue nationale et une réticence envers l'étranger qui tourne parfois à la xénophobie. Comme l'écrit André Corvisier, « *la montée de l'esprit bourgeois ne pouvait que limiter l'influence française qui, jusque-là, avait surtout trouvé écho dans la haute société* » [28].

Il ne faut rien exagérer : la contestation du modèle français est en progrès mais la France n'en demeure pas moins, à la fin de l'Ancien Régime, un pays respecté et une sorte de phare culturel. Mais ce qui attire surtout les regards des Européens, ce qui suscite leur envie, c'est une certaine douceur de vivre du royaume de Louis XVI. Toute l'Europe n'est pas loin de penser que la France est la patrie du bonheur.

HEUREUX COMME DIEU
EN FRANCE

« *Bonheur* », voilà bien un mot-clé de la langue des Lumières, aussi inévitable dans le discours du temps que « *nature* » ou « *vertu* ». Si l'on en croit Saint-Just, le bonheur serait « *une idée neuve en Europe* » et par conséquent en France. Affirmation bien péremptoire. On n'a pas attendu le XVIIIe siècle pour être heureux, ou désirer l'être. Mais le seul fait que les contemporains aient considéré l'aspiration au bonheur comme caractéristique de leur époque est digne d'être souligné. Les *Traité du bonheur* et autres *Essai sur le bonheur* se sont effectivement multipliés à l'époque des Lumières. Robert Mauzi a recensé une cinquantaine d'ouvrages portant ce titre, d'ailleurs presque toujours fort conventionnels [1]. En outre Saint-Just n'a pas tout à fait tort, si l'on oppose du moins le siècle de Louis XV à celui de Louis XIV. A l'époque classique, l'esprit religieux qui imprégnait fortement les mentalités mettait l'accent sur le seul bonheur qui devait compter pour un chrétien, la béatitude céleste. D'ailleurs une sorte de pudeur interdisait que l'on parlât de la recherche du bonheur individuel sur cette terre. Les deux seuls buts honorables (et donc avouables) de la vie étaient le service de Dieu et celui du roi. Le XVIIIe siècle rompt avec ce passé récent, mais il ne rompt qu'avec lui. En réconciliant bonheur et morale, il renoue avec l'humanisme de la Renaissance, et par-delà avec l'Antiquité. C'est chez Platon, Epicure ou chez les Stoïciens qu'il faut chercher la source principale de l'idée que l'on se fait désormais du bonheur, même s'il ne faut pas sous-estimer la permanence de l'inspiration chrétienne.

Deux voies privilégiées s'offrent à l'homme des Lumières en quête de bonheur, antagonistes en apparence mais bien souvent explorées l'une et l'autre conjointement ou en alternance : le repos du corps et de l'âme, l'agitation frénétique et l'accumulation des plaisirs.

Le tourbillon des plaisirs

Dans ses *Dernières remarques sur les Pensées de Pascal* (1777), Voltaire, prenant le contre-pied de l'opinion janséniste, affirmait que le bonheur réside dans la multiplicité des plaisirs :

« (...) *j'arrive de ma province à Paris. On m'introduit dans une très belle salle où douze cents personnes écoutent une musique délicieuse ; après quoi, toute cette assemblée se divise en petites sociétés qui vont faire un très bon souper, et après ce souper elles ne sont pas absolument mécontentes de la nuit. Je vois tous les beaux-arts en honneur dans cette ville, et les métiers les plus abjects bien récompensés, les infirmités très soulagées, les accidents prévenus ; tout le monde y jouit ou espère jouir ou*

*travaille pour jouir un jour, et ce dernier partage n'est
pas le plus mauvais. Je dis alors à Pascal : mon grand
homme, êtes-vous fou ? »* [2]

Bien des contemporains pensaient comme le patriarche de Ferney. Les gens de Cour d'abord, qui
donnent le ton. Versailles n'a peut-être jamais été plus
agréable que dans les premières années du règne de
Louis XVI, celles qui précèdent la naissance du dauphin (1781). *« La reine,* écrit Madame Campan, (...)
*se trouvait à l'époque de sa vie où elle se livra le plus
aux plaisirs qui lui étaient offerts de toutes parts. Il y
avait souvent, dans les petits voyages de Choisy, spectacle deux fois dans une même journée : grand opéra,
comédie française ou italienne à l'heure ordinaire, et à
onze heures du soir on rentrait dans la salle de spectacle, pour assister à des représentations de parodies où
les premiers acteurs de l'Opéra se montraient dans les
rôles et sous les costumes les plus bizarres ».* Les fêtes
avaient un éclat extraordinaire. Selon la première
femme de chambre de Marie-Antoinette, *« la plus noble et la plus galante qui ait été donnée à la reine »* fut
celle que *Monsieur* lui offrit dans le magnifique château de Brunoy qu'il avait acquis en 1774. On avait
reconstitué dans les jardins un combat de preux du
temps de Charlemagne, dans ce goût *« troubadour »*
qui commençait à gagner la France. A l'arrivée de la
reine, les chevaliers étaient endormis au pied des arbres, plongés dans un sommeil léthargique par l'absence de leurs belles :

*« Mais la reine paraît à l'entrée du bosquet : à l'instant
ils sont sur pied ; des voix mélodieuses annoncent la
cause de leur désenchantement et le désir qu'ils avaient
de signaler leur adresse et leur valeur ; de là ils passèrent*

dans une arène très vaste décorée avec magnificence et dans le style exact des anciens tournois.

Cinquante danseurs, en habits de pages, présentèrent aux chevaliers vingt-cinq superbes chevaux noirs, et vingt-cinq d'une blancheur éclatante et très richement enharnachés. Le parti à la tête duquel était Auguste Vestris portait les couleurs de la reine : Picq, maître des ballets de la Cour de Russie, commandait le parti opposé; il y eut course à la tête noire, à la lance, enfin combat à outrance, parfaitement simulé : quoique l'on fût convaincu que les couleurs de la reine ne pouvaient qu'être victorieuses, les spectateurs n'en éprouvèrent pas moins toutes les sensations diverses et prolongées qu'amène l'incertitude du triomphe.

Presque toutes les femmes agréables de Paris, toujours empressées de jouir de ces sortes de spectacles, avaient été placées sur les gradins qui environnaient l'enceinte du tournoi : cette réunion achevait de compléter la vérité de l'imitation. La reine, environnée de la famille royale et de toute la Cour, était placée sous un dais très élevé. Un spectacle suivi d'un ballet pantomime et un bal terminèrent la fête où ne manquèrent ni le feu d'artifice ni l'illumination » [3].

La bonne société parisienne partage cette frénésie de plaisirs. Un libelle satirique, imprimé en 1789 pour dénoncer l'exploitation que les riches font de leurs domestiques, trace avec quelque ressemblance la journée d'un petit maître. Le matin est consacré aux vanités de la toilette et aux visites, ensuite vient le dîner composé d'*« une longue suite de mets, tous plus appétissants les uns que les autres »*, puis on court au spectacle, enfin *« on va à un souper ou chez des femmes, ou au jeu »* [4]. C'est à peu près cet emploi du temps que Julie de Lespinasse proposait en 1774 à son amant, le comte de

Guibert : « *Vous sortirez avant onze heures, vous ferez des visites dans le faubourg Saint-Honoré, et puis vous irez dîner chez Mme de Boufflers. En revenant du Marais, vous vous ferez conduire chez Mme de V... ; et puis, à sept heures, vous viendrez à la Comédie-Française voir Henri IV (...). Vous direz à votre laquais d'être à huit heures et un quart à la grande porte de la cour des Princes, et nous sortirons tous par là, sans attendre une minute ; après cela, vous irez souper avec Mme de xxx. Voilà toute votre journée arrangée à merveille, n'y changez rien »* [5].

L'éventail des divertissements de la capitale est fort large pour celui qui a de l'argent. Il y a les spectacles de la Comédie-Française et de la Comédie-Italienne. Au printemps de 1783, celle-ci inaugure la nouvelle salle que Choiseul lui a fait construire sur le terrain de son hôtel [6]. Il y a aussi l'Opéra. A l'époque de la bataille autour du *Mariage de Figaro*, une autre guerre fait rage, entre Gluckistes et Piccinistes. Un certain nombre d'académiciens dont Jean-Baptiste Suard, la reine elle-même qui a fait venir en France le compositeur allemand, soutiennent Gluck. La Harpe, Marmontel, Grimm et même Beaumarchais, sont du côté de Piccini. Le premier a la faveur du public au début des années 80. Le Napolitain prend sa revanche, en 1784, avec *Didon*. Il est même nommé à la tête du nouveau Conservatoire de musique. Pourtant c'est Gluck qui l'emportera en définitive. On donne justement en mai 1784 à l'Opéra, *Les Danaïdes* dont il a fait la musique avec Salieri. La foule s'y presse comme au Théâtre-Français car l'œuvre fait scandale, elle aussi, par les crimes qu'elle met en scène. La *Correspondance secrète* publie une épigramme qui unit dans une même réprobation la pièce de Beaumarchais et celle de Gluck :

> « *Que penses-tu, dis-le moi sans mystère,*
> *Des nouveautés qu'aujourd'hui chez Molière*
> *Et chez Quinaut, on court avec fureur ?*
> — *L'une fait honte et l'autre fait horreur* » [7].

A côté du théâtre, il y a les concerts, nombreux et variés. Mozart a triomphé à Paris en 1778. Six ans plus tard, la capitale se pâme à la voix d'un jeune ténor, un certain Garat, fils d'un avocat au Parlement de Bordeaux : « *Il est à peine âgé de vingt ans. Il ignore jusqu'aux premiers éléments de la musique, et personne en France, peut-être même dans toute l'Italie, ne chante avec un goût aussi sûr, aussi exquis* » [8].

Il est encore bien d'autres plaisirs offerts aux riches. Ainsi ceux de la table. On dîne de plus en plus tard au XVIIIᵉ siècle. Dans les années 1780, c'est vers trois heures de l'après-midi et les repas sont relativement courts, mais on se rattrape au souper pris après le spectacle, vers les neuf ou dix heures. Les Grands se disputent officiers de bouche et cuisiniers dont la réputation entre pour beaucoup dans celle de la maison où ils servent. Certains quittent la domesticité pour ouvrir un restaurant. C'est en effet à l'époque de Louis XVI qu'apparaissent ces nouveaux établissements où l'on peut choisir un repas à la carte dans un cadre agréable. Auparavant, il fallait se rendre chez le traiteur, ou dans un cabaret qui servait les plats achetés au rôtisseur.

Devant une table servie avec raffinement, la société se livre aux délices de la conversation mondaine. « *On cause sur les propos les plus légers, par conséquent les plus difficiles à soutenir ; c'est une véritable mousse qui s'évapore et qui ne laisse rien après elle, mais dont la saveur est pleine d'agrément* » [9]. Littérature et cuisine entreprennent à l'époque cette idylle qui s'épanouira au XIXᵉ siècle. Grimod de La Reynière, fin gourmet et grand amateur de théâtre, fut un initiateur en la matière. Il organisa en 1783 un fameux souper mis en scène comme une farce funèbre. Des billets d'invitation en forme de faire-part d'enterrement avaient été adressés à des convives de rang les plus divers dans la société qui se virent proposer rien moins que vingt services successifs. Ce fut ce souper qui fit connaître Grimod, mais il ne s'en tint pas là. Il multiplia les « *dîners philosophiques* » : en 1786 Beaumarchais devait assister à l'un d'eux en compagnie d'André Chénier [10].

Après souper, on installe les tables de jeu ou l'on se rend dans quelque tripot, ou bien encore on va danser dans l'un de ces bals mondains où hommes et femmes font assaut d'élégance. Enfin, nombre de grands seigneurs ou de jeunes gens à la mode achèvent la nuit chez leur maîtresse du moment. C'est souvent une actrice du Théâtre-Français ou de la Comédie-Italienne, une cantatrice ou une danseuse de l'Opéra. Pour une « *demoiselle de spectacle* », être entretenue était le plus sûr moyen de parvenir à l'aisance. Certaines même devaient en passer presque obligatoirement par la « *galanterie* » pour survivre : ainsi les surnuméraires de l'Opéra qui ne touchaient aucun salaire. Les femmes « *du meilleur ton* » qui bénéficiaient des largesses d'un grand seigneur ou d'un haut serviteur de l'Etat roulaient carrosse. En novembre 1784, les *Petites affiches* ou *Journal Général de la France* annoncent la vente après décès du mobilier de Mademoiselle Beauvoisin qui avait été entretenue notamment par Baudard de Saint-James, trésorier des dépenses de la Marine. A côté des œuvres d'art et du linge du plus grand prix y figure un incroyable amoncellement de bijoux : « (...) *boucles d'oreilles, boucles de ceintures, châtons et bagues de brillants, joncs de rubis et d'émeraudes, montres*

avec chaînes, glands et cordons garnis de brillants, mon-
tre et chaîne d'or émaillé, boîtes et bonbonnières garnies
de brillants, flacons, tabatières, étuis, couteaux, croix
d'or, nécessaire, boucles et autres bijoux » [11].

Si l'on ne se rend pas chez sa maîtresse attitrée, on
peut faire venir chez soi une ou plusieurs «*filles à
parties*» que l'on commande pour un soir à une entre-
metteuse. On a aussi le choix d'une des innombrables
maisons de rendez-vous bien tenues de la capitale ou
d'une des délicieuses « *petites maisons*» de la périphérie. Certaines sont fort simples mais d'autres sont in-
stallées dans de très beaux hôtels. Dans les dernières
années de l'Ancien Régime, la plus remarquable de ces
maisons galantes où l'on abrite des amours clandestines
et où l'on fait venir des filles pour des soupers ou des
orgies est peut-être la « *Folie de Chartres* » appartenant
au duc du même nom, à la barrière Monceau [12].

Comme les grands et les riches, le peuple de la capitale a le choix de plaisirs variés. Il y a d'abord l'agrément des nombreuses promenades, par exemple celles
du jardin des Tuileries, du Luxembourg «*rendez-vous
des gens censés, des religieux, des philosophes et des
bons ménages*» [13], ou encore l'Arsenal, les Champs-
Elysées où «*tous les âges et tous les états sont rassemblés : le champêtre du lieu, les maisons ornées de terrasses, les cafés, (...) tout invite à s'y rendre*» [14]. Mais la
promenade la plus attrayante est celle des Boulevards,
si l'on en croit Goldoni :

« *Ce sont des bastions très étendus qui environnent la
ville ; quatre rangées de gros arbres forment un vaste
chemin au milieu pour les voitures et deux allées latérales
pour les gens à pied. On y découvre la campagne, on y
jouit des points de vue agréables et variés des environs de*

Paris et on s'amuse en même temps des divertissements que l'on y trouve rassemblés. Une foule de monde infinie, une quantité de voitures étonnante, de petits marchands qui s'élancent parmi les roues et les chevaux, avec toutes espèces de marchandises ; des chaises sur des trottoirs pour les personnes qui aiment à voir et pour celles qui se rangent pour être vues ; des cafés bien décorés avec un orchestre et des voix italiennes et françaises, des pâtissiers, des traiteurs, des restaurateurs, des marionnettes, des voltigeurs, des braillards qui annoncent des géants, des nains, des bêtes féroces, des monstres marins, des figures de cire, des automates, des ventriloques, le cabinet de Comus, savant physicien et mathématicien aussi surprenant qu'agréable » [15].

Là se tiennent les *« petits spectacles »*, tels ceux que proposent les Variétés Amusantes ou la Salle de Nicolet qui donne, en 1784, *Coriolan* de La Harpe. Les théâtres ont pris l'habitude de jouer des *parades*, courtes farces souvent grossières *« qu'on représente extérieurement sur le balcon comme une espèce d'invitation publique »* [16]. Beaumarchais ne les a pas dédaignées et certaines de ses parades (*Léandre marchand d'Agnus* ou *Jean Bête à la foire*) passent pour des chefs-d'œuvre du genre. Il est vrai qu'elles étaient destinées au public aristocratique du château d'Etioles, propriété du mari de la Pompadour, Le Normand.

D'autres spectacles que ceux du théâtre connaissent une grande vogue sur les boulevards dans les années 1780. Ainsi les figures de cire du *« sieur Curtius »*. Elles représentent Desrues qui fut rompu en place de Grève en 1777, Linguet le célèbre embastillé, aussi bien que le comte d'Estaing, héros de la guerre d'Amérique, ou la famille royale assise comme pour un banquet [17].

Fatigué du tumulte de la rue, le badaud peut franchir

le seuil d'un billard, d'un tripot, aller s'humecter le gosier dans l'un des quelque 4 300 débits de boisson que compte Paris à la fin de l'Ancien Régime, sans parler des établissements de la périphérie, si fréquentés en fin de semaine et le dimanche, la Courtille, les Porcherons, la Nouvelle France, où le vin est meilleur marché qu'à l'intérieur des barrières.

Il existe une hiérarchie minutieuse parmi les débits de boisson : des établissements élégants que sont les cafés aux plus modestes cabarets, aux boutiques des limonadiers qui vendent bière, cidre, liqueurs alcoolisées ou non, café, chocolat, aux tabagies et aux petits débits ambulants. Les assoiffés ont encore la ressource des épiciers qui vendent la goutte à l'occasion et celle des Suisses de porte des maisons aristocratiques qui ont le privilège de pouvoir débiter du vin.

Certains cafés sont très chics. Au Palais-Royal que vient de faire construire le futur Philippe-Egalité, Auberteau ouvre en 1784 le *Café de Chartres* où, dans un décor raffiné, la clientèle huppée vient se montrer, lire les papiers anglais et allemands, discuter littérature, philosophie et bientôt politique. Moins sélects, les premiers cafés-concerts, les « *musicos* », apparaissent à l'époque de Louis XVI ; ainsi le *Café des Aveugles* installé, lui aussi, au Palais-Royal, et qui devait son nom à un orchestre de huit musiciens aveugles en robes longues et chapeaux pointus [18].

Il y avait aussi, bien sûr, des filles pour le peuple. On ne peut dénombrer les prostituées parisiennes : peut-être 10 000, peut-être 15 000 ? Il y a parmi elles les filles des maisons, qu'elles soient pensionnaires ou, pour la plupart, « *demoiselles de journée* » vivant à l'extérieur et venant « *travailler* » quelques heures quand elles sont pressées par le besoin. Il y a aussi les clandestines : marchandes de mode, coiffeuses, faiseuses de colifichets, ouvrières dans toutes sortes d'artisanat d'art (brodeuses, rubanières...), mais aussi les aguichantes bouquetières, les ouvreuses d'huîtres ou écaillères dont la jolie mise est proverbiale et les revenderesses de marchandises les plus variées...

Les prostituées hantent tous les quartiers de Paris : elles fréquentent les cabarets et les boutiques des marchands de vin. Mais elles pratiquent surtout le racolage dans les lieux de passage : les abords des églises et des théâtres, les débouchés du Pont-Neuf, les marchés, les foires Saint-Germain et Saint-Laurent, les promenades et les jardins, les Boulevards et surtout le Palais-Royal dont les arcades abritent toute sorte d'affaires louches et qui est devenu, dans les dernières années de l'Ancien Régime, le haut-lieu de la vie nocturne parisienne. Il y a aussi les guinguettes hors des barrières, comme les célèbres maisons fondées par Ramponneau à la Courtille puis aux Porcherons. Beaucoup de filles y traquaient le client : soldats, hommes du petit peuple, ou bourgeois voire aristocrates venus s'encanailler. Aux alentours, logeurs, fruitiers et marchands de vin les accueillaient en chambres garnies et partageaient avec elles le bénéfice de leur commerce.

En fait, chacun pouvait trouver une éphémère chaussure à son pied sans s'éloigner de son lieu de travail ou de son domicile. Les plus pauvres même, ceux qui étaient terrés dans les ruelles au nord de la Seine, trouvaient « *les hideuses créatures du Port-au-Bled* » tout juste bonnes, selon L.S. Mercier, à satisfaire, au-dessus des abattoirs, « *la volupté grossière* » des garçons bouchers... [19]

Cette façon de traquer le plaisir dans le tourbillon des jouissances, qui l'a mieux pratiquée que Beaumarchais ? Poète, chanteur, musicien qui jouait de plusieurs instruments, surtout la harpe et la flûte, c'était un brillant causeur de salon. « *Beaumarchais*, écrit son ami Gudin de La Brenellerie, *possédait éminemment tous les talents qui font le charme de la société (…). Dans les vers, dans les couplets qu'il composait, il y avait toujours une tournure, une idée, un trait saillant qu'un autre n'eût point trouvé. Sa conversation mêlée d'idées fortes, de plaisanteries vives et jamais amères, de réparties inattendues et toujours fondées sur une raison saine, était singulièrement attachante* » [20]. Au surplus, notre homme aimait la bonne chère et, par-dessus tout, avait le goût des femmes.

Le siècle des Lumières est, par excellence, celui de la femme et de l'amour, comme l'ont si bien compris les Goncourt [21]. Rousseau fait dire à Julie, dans *La Nouvelle Héloïse* que l'amour est « *la grande affaire de notre vie* ». Il tombe ainsi d'accord avec Madame du Châtelet, l'amie de son grand ennemi, Voltaire : « *Cette passion est peut-être la seule qui puisse nous faire désirer de vivre et nous engager à remercier l'auteur de la nature, quel qu'il soit, de nous avoir donné l'existence* » [22].

Beaumarchais était fort doué en amour. On sait qu'il avait fait ses premières armes à peine adolescent, en Chérubin précoce [23]. Plus tard, il accumula les bonnes fortunes de toute sorte. L'homme, incontestablement, avait du charme. « *Dès que Beaumarchais parut à Versailles, rapporte Gudin, les femmes furent frappées de sa haute stature, de sa taille svelte et bien prise, de la régularité de ses traits, de son teint vif et animé, de son regard assuré, de cet air dominant qui semblait l'élever au-dessus de tout ce qui l'environnait et de cette ardeur involontaire qui s'allumait en lui à leur aspect* » [24]. Un Almaviva en quelque sorte, mais avec plus de cœur. Certes il désirait les femmes, mais aussi il les aimait. Il eut trois épouses, presque quatre pourrions-nous dire.

L'auteur du *Mariage de Figaro* a convolé pour la première fois en 1756 avec cette veuve Franquet, de dix ans son aînée, qui lui a permis de prendre le nom de la terre jadis acquise par son défunt époux. Elle a eu la malchance de mourir moins d'un an plus tard, ce qui fut un mauvais coup pour Pierre-Augustin que la calomnie accusa de l'avoir empoisonnée. Beaumarchais jeta ensuite son dévolu sur une jeune créole, Pauline Lebreton. Elle avait des espérances, mais le vaste domaine qu'elle possédait à Saint-Domingue était retourné à la friche et son soupirant, pour qui le mariage était d'abord une occasion d'asseoir sa fortune et son rang, l'abandonna malgré leurs sentiments réciproques. Sa deuxième femme légitime fut Geneviève-Madeleine Watebled, veuve d'un certain Lévêque, garde magasin général des Menus Plaisirs. La dame était fort riche. Elle donna à Beaumarchais deux enfants qui moururent en bas âge avant de s'éteindre, elle aussi, minée par la tuberculose, en 1770, c'est-à-dire deux ans et demi seulement après les noces. Cette fois Beaumarchais attendra longtemps avant de convoler de nouveau. C'est seulement en 1786 qu'il épousera Marie-Thérèse Willermawlaz qui était sa concubine depuis dix ans. C'était une Suissesse de quelque 20 ans quand il la connut, qui avait trouvé un emploi chez le marquis de Dreux-Brézé. Fervente admiratrice de Beaumarchais, elle avait sollicité un rendez-vous sous prétexte de musique et s'était proprement jetée dans ses bras. Pierre-Augustin l'avait installée comme sa « ménagère », sous le nom de Madame de Villers, à son domicile de l'hôtel des Ambassadeurs de Hollande et de leur union était née en 1777 une fille, Eugénie.

Mais les plaisirs conjugaux, même l'amour partagé,

sensuel et sentimental à la fois, qui l'unissait à Madame de Villers, ne suffisaient pas au bouillant Beaumarchais. Il eut de très nombreuses passades qu'il n'hésita pas, quelquefois, à partager avec d'autres. Ainsi, en 1773, avait-il ravi au duc de Chaulnes sa maîtresse, Mademoiselle Ménard, jeune actrice de la Comédie-Italienne, ce qui faillit lui coûter la vie car le duc l'agressa brutalement. Lors de son voyage en Espagne, il avait eu également des attentions pour la marquise de La Croix et n'avait pas hésité à la glisser dans les bras du roi, Charles III, dans le fallacieux espoir de terminer favorablement ses affaires [25].

Beaumarchais eut aussi de longues liaisons. Celle qu'il entretint avec Ninon fut longtemps platonique. A la fin de 1777, il avait reçu une lettre de cette demoiselle d'Aix-en-Provence abandonnée par son amant et une correspondance assidue s'était alors établie dans un genre que l'on pourrait qualifier d'amitié amoureuse. La jeune fille n'était peut-être pas dénuée d'arrière-pensées intéressées car Beaumarchais était alors un homme riche et déjà célèbre. Elle fit tout ce qu'elle put pour le rencontrer et n'eut aucun mal à donner à leur relation un tour moins éthéré. Quelques mois auparavant, Beaumarchais avait fait la connaissance de Madame de Godeville et il eut avec elle une liaison qui dut combler sa sensualité si l'on en croit sa correspondance amoureuse [26]. Mais cette jolie maîtresse était possessive. Elle prétendait évincer Madame de Villers, la « *ménagère* » attitrée, et notre auteur s'en débarrassa en la cédant à son ami Gudin. A la fin de sa vie encore, Beaumarchais entretiendra des relations intimes avec celle qui se faisait appeler la citoyenne Duranty : Amélie Houret, qui avait divorcé en 1796 du comte de La Marinaie.

La « *rage de vivre* » du père de Figaro est bien de son

époque. Même les moralistes chrétiens s'essaient, de plus en plus nombreux, à réhabiliter le plaisir : il est légitime puisque c'est un don que Dieu fait aux hommes pour rendre supportable leur séjour ici-bas. Il faut savoir profiter des biens de la terre sans oublier de rendre grâce au Créateur. Bien sûr, il y a une façon chrétienne de prendre du plaisir ; avec modération et sans s'épuiser à sa recherche. Il faut seulement saisir les bonheurs de rencontre, ceux que Dieu met sur la route humaine. Il faut surtout savoir discerner les « *vrais* » des « *faux* » plaisirs. La condamnation tridentine de la chair est beaucoup trop prégnante pour ne pas rendre suspect le plaisir amoureux, surtout s'il est intense, plus encore s'il est vécu hors du mariage.

Les philosophes n'ont, d'ailleurs, pas une opinion très différente. Voltaire dont on a rapporté le plaidoyer pour la jouissance, n'a sans doute aucun sentiment de culpabilité à l'égard du plaisir, mais il en recommande un usage modéré. C'est, en partie, raffinement d'esthète qui cherche la qualité : la débauche affaiblit la jouissance car elle dégrade la santé et l'équilibre psychique en asservissant celui qui s'y adonne. Cela répond aussi aux aspirations profondes de la bourgeoisie pour laquelle il n'est guère plus convenable de gaspiller les plaisirs que l'argent. Chez Voltaire « *l'esprit d'économie équilibre exactement l'esprit de jouissance* » [27]. Les Français, dans leur grande masse, approuvaient cette gestion sage du plaisir. Le libertin absolu est une espèce rare à la fin du siècle des Lumières. C'est pourtant en 1782 que Choderlos de Laclos en a présenté l'archétype dans *Les liaisons dangereuses* : Valmont et surtout Madame de Merteuil. Ces gens-là n'éprouvent aucune passion érotique, tirant leur jouissance non de la possession de l'autre mais de son désespoir à l'instant où ils le quittent. Mais les sujets de Louis XVI sont trop sentimentaux pour se retrouver dans ces personnages. Dans la vie, comme d'ailleurs dans la plupart des romans, le libertinage est presque toujours transfiguré par l'amour.

Le repos du corps et de l'âme

« *Le bonheur est le fruit de la raison ; c'est un état tranquille, permanent, qui n'a ni transport, ni éclats* », écrit en 1772 la duchesse de Choiseul à sa vieille amie Madame du Deffand [28]. Voilà l'autre méthode du bonheur, bien éloignée de la traque incessante des plaisirs, mais également prisée par les hommes et les femmes des Lumières.

Le repos de l'âme suppose celui du corps. C'est à la campagne ou, pour le moins, au milieu des jardins, qu'on a le plus de chance d'atteindre l'un et l'autre. Les contemporains ne cessent de vanter la vie des champs. Des livres entiers y sont consacrés. Certains proclament leur philosophie dès le titre. Ainsi *Le bonheur dans les campagnes* que publie, l'année du *Mariage de Figaro*, le marquis de Lezay-Marnesia, un ancien officier qui s'est retiré dans ses terres de Franche-Comté et partage ses loisirs entre la littérature, la philanthropie et l'embellissement de ses jardins [29].

La campagne présente à l'homme l'image de la paix, et le calme dont elle l'entoure lui permet d'atteindre une sorte de jouissance extatique qui n'est pas sans évoquer celle du Paradis terrestre. D'ailleurs la retraite pastorale permet de retrouver la pureté morale d'un âge d'or imaginaire. C'est, pense-t-on, au milieu des champs que les sentiments ont conservé leur sincérité, c'est là que s'est réfugiée la vertu. Nul ouvrage, mieux que *La vie de mon père* que Rétif de la Bretonne a publié en 1778, ne dépeint ces paysans idéalisés auxquels on prête la maîtrise des passions, une parfaite tempérance et sobriété, en même temps que les sentiments les plus nobles : sens de l'hospitalité et de l'entraide, piété familiale, amour de Dieu, le tout source d'une inépuisable joie de vivre.

Le paysan est le véritable « *bon sauvage* » de l'intérieur, mais ce n'est pas le seul type social dont on est redevable à la campagne. La littérature des Lumières porte aussi au pinacle le curé de village secourable aux pauvres, indulgent pour les faiblesses des hommes [30], ou encore le seigneur lassé des mensonges et des vices de la Cour qui revient à la terre et se pare aussitôt de toutes les vertus. Lezay-Marnesia en trace un portrait d'autant plus flatteur qu'il s'inspire de lui-même :

« *Quel tableau ! Une épouse pénétrée d'estime et de tendresse pour son époux ; un mari tendre et heureux des vertus de sa femme ; de nombreux enfants élevés dans leur sein et formés par leur exemple ; une famille toujours occupée d'objets utiles où l'ordre fait régner l'abondance ; que la gaieté n'abandonne jamais et que la piété, la bienfaisance anime toujours ! De ce château que le bonheur habite, il se répand sur les villages qui l'environnent. Secondé par les dignes pasteurs que la religion a donnés pour guides depuis longtemps à ses vassaux, il en a banni les vices ; il les a remplacés par l'activité, l'industrie et la sagesse. Juge, médecin et père, par l'autorité de l'amour et du respect, il arrange les procès et visite les malades. Un chirurgien envoyé par lui donne des soins, prévient quelquefois les maladies et souvent les guérit ou les soulage. Tout est en mouvement autour de lui ! Tantôt par un travail plus actif mais devenu moins pénible parce qu'il est plus industrieux, tantôt par la joie qui suit toujours l'abondance. Chacun de ses jours, remplis par des bienfaits, est terminé par des bénédictions ; et ses douces soirées se passent à recevoir les caresses de sa femme et de ses enfants, et à former de nouveaux projets pour le lendemain. Languissants habitants des villes, vous goûtez peut-être quelques plaisirs, mais vous ne connaissez pas la véritable volupté »* [31].

Le bonheur des champs est un « *art de vivre* » fait d'équilibre, également éloigné de la foule et de la solitude, de l'ennui né de l'oisiveté et des orages de la passion. Un excellent exemple en a été donné par les Choiseul, dans la retraite qui a suivi la disgrâce du duc en décembre 1770 et s'est prolongée jusqu'à sa mort en mai 1785.

L'abbé Barthélémy, hôte habituel de Chanteloup, le château tourangeau de Choiseul, écrivait : « (…) *à propos de bonheur, ne me parlez pas trop de celui que l'on goûte ici, il me semble que l'envie est toujours aux écoutes* ». Madame du Deffand, exclue de ce paradis par le destin, renchérissait : « *Chanteloup renferme non seulement tout ce que j'aime, j'estime, mais tout ce qui peut contribuer au bonheur et à l'agrément de la vie, indépendamment même de tout sentiment* ».

Ce qui fait le bonheur sur ces bords de la Loire, c'est d'abord le repos délicieux que célèbre Barthélémy un jour torride de l'été de 1777 : « *On a bien tort de s'éloigner d'ici dans le moment présent ; il n'y règne plus qu'un sentiment, qu'une vertu : c'est une extrême paresse, et cette vie est sans doute celle du ciel, car elle est fort heureuse. Plus de chasse, plus de lecture, plus de promenade ! Nos dames passent leur matinée dans leur lit ou dans leur baignoire ; l'après-midi dans des fau-*

teuils bien profonds sans voir le soleil de toute la journée » [32]. La philosophie du bonheur est faite ici de la simple jouissance de l'instant.

La nature est indispensable à cette jouissance. Nature vierge, ou presque, de la forêt à deux pas du château où la compagnie va, rituellement, traquer le lièvre, le cerf ou le sanglier. Nature domestiquée des champs, des vignes et des prairies, auxquels Choiseul, féru d'agronomie comme nombre d'aristocrates du temps, accorde tous ses soins. Il a fait construire une grande bergerie, la plus belle qu'Arthur Young ait vue en France, une vacherie magnifique pour accueillir les 120 bêtes qu'il a fait venir de Suisse. A Chanteloup, on élève les vaches à l'étable mais, de temps à autre leurs gardiens, helvétiques eux aussi, leur font dégourdir les pattes et la société, grimpée sur les terrasses dominant la basse-cour, assiste à cette curieuse promenade. La nature, c'est encore le parc qu'a fait aménager la duchesse : au nord, une perspective à la française avec miroir d'eau et tapis vert ; au sud un vaste boulingrin de gazon ceinturant un bassin avec, de part et d'autre, deux jardins, l'un à l'anglaise et l'autre d'inspiration pseudo-chinoise, le tout agrémenté de cascades, de rochers artificiels et de « *fabriques* » ; enfin, tout près de la forêt, la grande pièce d'eau au bord de laquelle le duc fit élever la « *pagode* » que l'on voit encore aujourd'hui, après son semi-retour en grâce qui suivit l'avènement de Louis XVI.

La retraite champêtre permet de prendre de l'exercice, de respirer un air qui n'est pas souillé par les miasmes de la ville, tant redoutés par le siècle. Elle favorise aussi la réflexion sereine et l'étude. A Chanteloup, Madame de Choiseul se retire souvent dans sa bibliothèque-boudoir pour écrire une de ces lettres qui nous valent de si bien connaître la vie au château. Le duc a aussi son cabinet, véritable musée miniature dont les murs sont tapissés de chefs-d'œuvre. Barthélémy peut à loisir consulter les nombreux ouvrages de la bibliothèque, une galerie longue d'environ 24 mètres.

Pour ne pas engendrer l'ennui, le repos doit être entrecoupé de divertissements. A Chanteloup, la table en est un des plus prisés. La chère est abondante et délicate, l'échantillon des vins et des liqueurs très vaste : les caves creusées dans le tuffeau abritent du vouvray local, du brou de noix et de l'eau-de-vie d'Amboise, du volnay, du sauternes, du champagne mousseux ou non, et ces vins exotiques tant estimés alors, tokay, vins de Chypre, malvoisie, malaga ou madère... La plus grande partie des soirées est occupée par des amusements faciles : billard, whist ou tric-trac, devinettes, charades, bouts rimés. Mais les divertissements de l'esprit ont aussi leur place. On invente des contes, on fait des poèmes, on parle de philosophie, on lit à haute voix les classiques ou les œuvres à la mode, on monte des pièces de théâtre et, comme à Versailles, les plus grandes dames, les seigneurs les plus titrés, ne dédaignent pas de paraître en scène. Il y a aussi la musique. Choiseul a fait venir Claude Balbastre, compositeur et instrumentiste de renom qui a contribué à faire connaître en France le piano-forte. Il donne des leçons à la duchesse et se produit en concert. Toute une famille de musiciens allemands fut même installée au château. Madame de Choiseul se lia d'amitié avec le plus jeune, Petit Louis, et l'adolescent lui rendit si vivement son affection qu'il fallut l'exiler. On a prétendu que l'anecdote avait servi de modèle à Beaumarchais pour l'histoire de Chérubin, mais rien ne semble moins assuré [33].

La retraite délicieuse de Chanteloup ne sert pas qu'au plaisir égoïste des Choiseul. On y cultive beaucoup l'amitié, valeur indispensable au bonheur tel que le conçoivent les Lumières. Le duc a fait aménager pour les amis de marque neuf appartements luxueux au premier étage du château. D'autres ont été construits dans l'étage mansardé du logis central ou dans l'aile tournée vers l'est. Là se trouvent aussi beaucoup de chambres d'amis, toutes meublées avec raffinement. C'est qu'à Chanteloup fréquentent ordinairement, outre la duchesse de Gramont, sœur de Choiseul, la comtesse de Brionne, maîtresse préférée du duc, l'abbé Barthélémy et le baron de Gleischen, tous deux soupirants platoniques de Madame de Choiseul. Cheverny vient souvent, en voisin, et de temps en temps quelques hôtes illustres débarquent d'un carrosse, surtout dans les dernières années de Louis XV où c'est une manière de fronder sans risque que d'aller visiter le ministre en exil. L'amitié tenait une telle place dans la vie de Choiseul que c'est pour la célébrer qu'en 1775 il fit construire la « *pagode* » dans le style oriental tant à la mode [34].

Si la vie à Chanteloup avait un si grand charme, c'est en fait parce que le repos physique, le calme des passions, étaient par intervalles balayés par une frénétique agitation. Ce subtil dosage de plaisirs de nature opposée constitue le summum de l'« *art de vivre* » à la fin du XVIIIe siècle.

Cette science du bonheur n'est évidemment pas à la portée de tous puisqu'elle suppose à la fois l'oisiveté et le confort matériel. Le raffinement de l'habitat est d'ailleurs considéré comme un élément indispensable au repos et à la jouissance. Tout nouveau riche s'efforce de copier les hôtels et les châteaux aristocratiques. Ainsi Beaumarchais parvenu au zénith de la gloire.

Après avoir enfin régularisé sa situation avec Madame de Villers, en 1786, Pierre-Augustin voulut installer sa petite famille dans un hôtel qui fît l'admiration et suscitât l'envie du Tout-Paris. Il acquit un vaste terrain sur l'emplacement des anciens remparts, à proximité immédiate de la Bastille. Il savait que le roi songeait à faire démolir la forteresse pour construire une place circulaire qui porterait son nom. Beaumarchais, toujours à l'affût d'une bonne affaire, résolut de faire édifier un important immeuble qui comprendrait, outre son domicile, des appartements locatifs et des boutiques. Entreprise sur la base d'un devis de 300 000 livres, somme déjà considérable, la construction revint au prix fabuleux de 1 663 000 livres. L'hôtel particulier de Beaumarchais, dû à l'architecte Lemoine jeune, était très grand en lui-même et pourvu d'une imposante façade à colonnes. L'intérieur, où les matériaux nobles (marbre, acajou, cuivre) avaient été employés à profusion, était doté d'un confort ultra-moderne, comportant même un chauffage central avec bouches d'air. Parmi les pièces les plus remarquables, les spacieuses cuisines qui occupaient le sous-sol, et surtout le salon dont la richesse de la décoration et la coupole à caissons provoquaient l'étonnement des visiteurs. Le mobilier, à la dernière mode, était à l'avenant : le secrétaire de Beaumarchais avait coûté, à lui seul, 30 000 livres.

L'architecte François-Joseph Bellanger avait dessiné un jardin à l'anglaise, tout en longueur. Diverses fabriques avaient été réparties parmi les massifs : un temple à Voltaire et un à Bacchus, un monument funéraire en l'honneur de Mercier-Dupaty, président au Parlement de Bordeaux et ami des philosophes, qui mourut inopinément en 1788. On rencontrait aussi au détour des allées un buste de Pâris-Duverney, le protecteur, une statue de l'Amour et une de Platon, bref tout le « *bric-à-brac philosophique* » [35] à la mode. On voyait encore un tunnel et un pont chinois garni de clochettes. L'eau, d'ailleurs, était omniprésente sous forme de fontaines, d'une cascade, de petits lacs portant des nacelles, le tout alimenté par la pompe à feu mise en service à Chaillot en 1781. Beaumarchais était, en effet, un des principaux actionnaires et l'un des administrateurs de la Compagnie des Eaux de Paris constituée par les frères Périer qui avaient obtenu de Louis XVI « *le privilège exclusif d'établir dans la ville de Paris et aux lieux convenables, des pompes ou machines à feu pour élever l'eau de la rivière de Seine, la conduire et distribuer dans les différents quartiers (...)* ».

Beaumarchais avait hâte de faire admirer son hôtel, au point qu'il l'inaugura avant même l'achèvement des travaux, lors d'une fête musicale que présida le duc d'Orléans, au printemps de 1789. Il y eut une telle affluence que l'on dut faire imprimer des billets d'entrée pour établir un peu d'ordre [36].

L'heureuse famille

La maison de Beaumarchais trahit l'arrogance du parvenu, poussée jusqu'au mauvais goût. Elle témoigne aussi, à sa façon, de l'attrait que l'on éprouve dans les classes moyennes pour la vie d'intérieur et la famille. Cultiver le sentiment familial, voilà une recette de bonheur que les Lumières ont répandue à profusion et que beaucoup ont suivie, Pierre-Augustin le tout premier.

A défaut d'être un mari fidèle, Beaumarchais fut un fils dévoué, un frère aimant et, toute sa vie, il se préoccupa de l'honneur et du bien-être de la « *tribu Caron* » [37]. Il avait une grande admiration pour son père.

André-Charles Caron était un homme de commerce agréable, aimant la musique, les romans, pourvu d'une instruction supérieure à celle de bien des gens de son époque. Il avait acquis un excellent renom comme horloger et exigea que son fils unique mette tout son zèle à parvenir à la célébrité dans sa profession. Il fut comblé puisqu'à 21 ans seulement, Pierre-Augustin inventa un nouvel échappement pour les montres et les pendules qui devait être à l'origine de son ascension sociale. En effet, Lepaute, un confrère en renom, s'étant approprié l'invention, le jeune homme demanda justice à l'Académie des sciences dans un mémoire déjà fort bien tourné. L'Académie lui donna raison. Pierre-Augustin fut mandé à la Cour et ce fut le début de sa fortune. Il n'en renia pas son père pour autant. Alors qu'il avait progressé dans les honneurs, devenant maître de harpe de Mesdames, le bruit courut à Versailles qu'il était brouillé avec les siens. Dès le lendemain on le vit se promener au château en compagnie d'un homme âgé inconnu en ces lieux. Le soir, une des filles de Louis XV lui demanda le nom de cet individu : « C'est mon père », répondit-il.

Beaumarchais vint souvent à l'aide du vieil horloger lorsque ses affaires périclitèrent. Il lui servit une rente et acheta même, en 1763, un vaste hôtel très confortable rue de Condé où il installa le vieux Caron et ses deux cadettes dans les étages supérieurs, se réservant pour lui l'appartement du premier.

Pierre-Augustin avait aussi beaucoup d'affection pour ses sœurs et celles-ci la lui rendaient bien. L'avant-dernière, Julie, avait même une sorte de dévotion pour son frère, jusqu'à prendre, elle aussi, le nom de Beaumarchais. En 1764, ce dernier profita de la mission commerciale dont le chargea Duverney en Espagne [38] pour essayer d'arranger le mariage d'une autre de ses sœurs, Marie-Louise, d'un an son aînée. Installée à Madrid, elle avait depuis plusieurs années comme prétendant, et peut-être comme amant, un homme de lettres du nom de Clavijo. Mais depuis le début de leur liaison, Clavijo avait fait son chemin. Il était maintenant archiviste du roi et dirigeait une assez importante revue philosophique, le *Pensador*. Il n'était plus aussi décidé à épouser la fille d'un horloger. Lisette s'en consolait car elle avait trouvé un autre fiancé, un négociant qui s'appelait Durand. Mais Beaumarchais, sans doute mécontent de devenir le beau-frère d'un aussi mince personnage, voulut forcer la main à Clavijo. Ce fut un échec : Lisette ne l'épousera jamais, non plus d'ailleurs que Durand. Mais dix ans plus tard, Pierre-Augustin tira de cette affaire de famille passablement embrouillée le canevas d'un véritable drame bourgeois qu'il intégra dans le quatrième *Mémoire* contre Gœzman, où son rôle et celui de sa sœur étaient fort embellis. Cela devait inspirer à Gœthe son *Clavigo* en cinq actes (1774).

Beaumarchais fut plus heureux dans ses entreprises en faveur de son autre sœur fixée à Madrid, Marie-Josèphe, l'aînée de la famille. Elle avait épousé un certain Guilbert, maître maçon, que Pierre-Augustin réussit à faire nommer « *architecte du roi* » d'Espagne. Devenue veuve, elle se retira au couvent avec ses deux enfants et son frère paya la pension. Beaumarchais s'occupa tout autant de ses autres sœurs : par exemple c'est lui qui maria et dota la fille de la benjamine, Jeanne-Marguerite surnommée Tonton dans la famille [39].

La plupart des contemporains de Beaumarchais pensaient, comme lui, que le bonheur domestique était un des biens les plus précieux. La première condition pour l'atteindre était de faire un mariage selon son cœur. Beaucoup d'historiens ont mis l'accent sur l'explosion du sentiment dans la cellule conjugale au XVIIIᵉ siècle [40]. Jusqu'alors, le mariage était moins l'affaire des jeunes époux que celle du groupe familial. Son but était d'abord de perpétuer la lignée par la procréation de nombreux enfants et de l'enrichir par une alliance avantageuse par le rang ou la fortune du conjoint. A cet objectif s'en serait progressivement superposé, voire substitué, un autre mettant l'accent sur l'intérêt des individus, l'épanouissement mutuel des époux. On lit dans l'*Encyclopédie* : « *La fin du mariage est la naissance d'une famille ainsi que le bonheur commun des conjoints* (…) » [41].

De fait, au temps des Lumières, toute une littérature d'intention pédagogique, d'inspiration religieuse ou profane, recommande de fonder le couple conjugal sur le sentiment. Ainsi un *Catéchisme de la morale* (…) *à l'usage de la jeunesse* publié à Bruxelles en 1785, qui n'a rien d'ecclésiastique mais doit son titre à la forme qu'il donne à ses conseils, consacre son premier chapitre à l'amour. « *Pour vivre heureux sous le joug de l'hymen, ne vous y engagez pas sans être aimé* », écrit l'auteur, ou encore : « *c'est une espèce de rapt qu'un mariage contracté sans tendresse ; la personne n'appartient, suivant l'instinct naturel, qu'à celui qui en possède le cœur. On ne devrait recevoir les dons de l'Hymen que des mains de l'Amour : les acquérir autrement, c'est proprement les usurper* » [42].

Le mariage d'amour doit beaucoup à Jean-Jacques, que le philosophe ait joué le rôle d'initiateur en ce domaine, ou plus vraisemblablement qu'il ait agi comme un révélateur, exprimant en termes sensibles les aspirations que beaucoup d'hommes, et peut-être surtout de femmes, ressentaient confusément en eux-mêmes. « *Rousseau me montra le bonheur domestique auquel je pouvais prétendre, et les ineffables délices que j'étais capable de goûter* », affirme Madame Roland dans ses *Mémoires* [43]. Pour elle, comme sans doute pour beaucoup d'autres jeunes filles, *La Nouvelle Héloïse* avait été comme une illumination. Rousseau y peignait ce que devait être l'amour conjugal, sorte de tendresse fondée sur « *l'honnêteté, la vertu, de certaines convenances, moins de conditions et d'âges que de caractères et d'humeurs* », « *un état de jouissance et de paix* » à cent lieues de la passion que Julie avait éprouvée pour Saint-Preux, son ancien amant [44].

Les Français du temps de Louis XVI ont soif d'amour conjugal. Il est vrai que beaucoup d'aristocrates continuent à vivre en toute liberté dans le mariage qu'ils ne considèrent que comme un contrat intéressant pour l'honneur et la richesse de leur lignage. A l'inverse, il serait puéril de penser que les couples légitimes aient attendu le XVIIIe siècle pour découvrir l'amour. Dans la société traditionnelle, et surtout pour les classes populaires, une grande pudeur des sentiments, des modes d'expression de la tendresse différents des nôtres (un clin d'œil, une bourrade...), une moindre importance donnée à la réussite sexuelle, ont pu faire croire, parfois, à l'absence d'amour. Martine Ségalen met en garde, à juste titre, contre le péché d'« *ethnocentrisme* » qui nous amène à préjuger de la sécheresse affective de nos ancêtres parce que nous analysons leurs comportements en fonction de critères anachroniques [45]. En fait, l'amour jouait aussi son rôle dans le choix du conjoint, du moins dans les milieux modestes où la liberté n'était point gênée par le souci du rang ou du patrimoine. Rétif de La Bretonne enviait, dans son enfance, les fils des petits paysans de son village qui pouvaient prendre une fiancée selon leur cœur tandis que lui, rejeton d'un riche laboureur, serait obligé de tenir compte des intérêts familiaux. Il fait dire à l'un de ses camarades de jeu : « *J'aime mieux être le garçon de Blaise Guerreau que le fils de M. Réti' ; car j'suis maîte d'mes voulontés. Vous êtes Monsieur Nicolas, et vous poijerez (payerez) vote monsieureté (…)* » [46].

Malgré tout, il est indéniable que c'est au temps des Lumières que l'on se met de plus en plus à conjuguer mariage et amour, et cela d'abord dans les classes moyennes. Les jeunes filles de la bourgeoisie ont en tête un idéal qu'exprime parfaitement Madame Roland, alors qu'elle n'était encore que Manon Phlipon en quête d'un époux. « *(…) je ne m'aveugle pas*, écrit-elle en 1774 à son amie Sophie Cannet, *sur l'extrême difficulté de trouver un homme que je puisse aimer avec cette vivacité, cette force, cette constance dont mon cœur se sent capable ; un homme qui, par l'élévation de son âme, la solidité de son jugement, la droiture de son cœur, la délicatesse de ses sentiments, puisse s'unir et s'assimiler avec moi, me seconder dans l'éducation d'une famille que je voudrais ne confier qu'à notre commune tendresse, un homme enfin pour qui je puisse vivre uniquement en l'acceptant pour époux* ». Pour beaucoup de femmes « *éclairées* » le mariage est le moyen de concilier, comme le dit encore Manon, « *la vertu et le bonheur, l'innocence et les plaisirs* » [47]. Egalement éloigné du libertinage et de l'ascétisme, mélange de jouissances et de pureté, l'amour conjugal vécu sur ce modèle s'accorde bien avec la morale du juste milieu, chère au XVIIIe siècle.

Cependant, le bonheur conjugal est, en lui-même, imparfait. Il ne s'épanouit tout à fait qu'autour du berceau. Les Lumières ont exalté encore plus vivement l'amour qui unit parents et enfants que celui qui rassemble les époux.

Philippe Ariès a montré naguère que le sentiment de la spécificité enfantine, l'idée que l'enfant n'était pas seulement un adulte en réduction, mais un être différent ayant ses qualités propres, s'était lentement développée depuis les derniers siècles du Moyen Age [48]. Cette évolution s'est confirmée tout au long de l'époque moderne et contemporaine jusqu'à s'épanouir, au milieu du XXe siècle, dans la notion d'enfant-roi particulièrement affirmée aux Etats-Unis.

Comme dans bien des domaines de l'histoire des mentalités, le XVIIIe siècle est à cet égard une époque de transition où coexistent des traits d'archaïsme et de modernité.

La civilisation de l'époque classique portait à l'enfant un intérêt incontestable dont on note la survivance à la fin de l'Ancien Régime. On a déjà rappelé que la procréation était considérée dans la tradition religieuse et profane comme le but premier du mariage. La fécondité de la femme était exaltée et, a contrario, la stérilité considérée comme un grand malheur, une malédiction divine.

L'intérêt pour l'enfant était, avant tout, d'ordre religieux. Engendrer était un grand devoir parce que cela entrait dans le plan de Dieu. Une fois que les parents avaient donné la vie physique, il leur fallait assurer la vie surnaturelle du nouveau-né par le baptême que le concile de Trente avait fait une obligation d'administrer dans les trois jours. Le bébé devenait alors l'image de l'Enfant-Jésus dont le culte n'avait cessé de se développer.

Cependant, parallèlement à ces connotations positives, des jugements négatifs étaient associés à l'enfance. Ils avaient également des racines religieuses. C'est que la tradition de l'Eglise était fortement imprégnée par la pensée augustinienne. Alors que le Christ était plein de tendresse envers les « *petits enfants* » toujours proposés en exemple, au point de refuser le Royaume aux adultes incapables de redevenir semblables à eux, la théologie de Saint-Augustin voyait d'abord dans l'enfant le rejeton d'Adam et Eve porteur du péché originel. D'où la nécessité du baptême immédiat qui effaçait cette tare, d'où aussi la sévérité d'une éducation destinée à combattre les instincts, à réfréner le naturel toujours soupçonné de porter au mal. La philosophie cartésienne n'avait pas arrangé les choses, avec son mépris pour l'esprit enfantin, qui, incapable de raison, se laisse dicter sa conduite par les sensations, plaisir ou douleur.

Les parents des XVIIe ou XVIIIe siècles donnent parfois l'impression de porter peu d'attention à leur progéniture, voire d'en être encombrés. C'est sans doute vrai dans les milieux modestes où les enfants coûtent cher et ne rapportent rien, du moins dans leur plus jeune âge car on a tôt fait de leur trouver un travail utile. Mais il semble que l'enfant soit aussi un embarras dans la meilleure société. La vie de salon ou la galanterie font briller une femme du monde, alors que les tâches obscures du « *maternage* » ne lui procureraient aucune considération.

Il existe à la fin de l'Ancien Régime, bien des moyens d'exclure l'enfant du cercle familial. S'il est vraisemblable que l'infanticide n'a cessé de décliner depuis le haut Moyen Age, et peut-être aussi l'avortement (ces phénomènes sont mal connus car on ne peut les appréhender que lorsqu'ils ont des suites judiciaires), l'abandon et surtout la mise en nourrice se sont développés au temps de la monarchie absolue.

Toutes les études faites à ce jour montrent que la courbe des abandons progresse dans la seconde moitié du XVIIIe siècle. C'est vrai pour Lyon, Rouen, Limoges ou Chartres. A Paris, le nombre moyen annuel des enfants recueillis par l'Hôpital de la Couche est passé de 3 291 dans la décennie 1740-1749 à 5 713 dans les années 1780-1789 [49].

Quant à la mise en nourrice, c'est un phénomène ancien mais qui connaît un développement considérable au siècle des Lumières. A Paris, le lieutenant de police Lenoir estime, en 1780, que sur 21 000 enfants qui naissent tous les ans, 19 000 sont envoyés en nourrice, 1 000 sont allaités à domicile par une domestique, les mille autres seulement étant nourris au sein par leur mère [50]. Le phénomène, qui semble avoir été circonscrit à l'aristocratie au début des Temps Modernes, s'est répandu dans la bourgeoisie au XVIIe siècle et atteint désormais l'ensemble de la société urbaine, à l'exception des couches les plus pauvres pour lesquelles le paiement des mois de nourrice coûterait davantage que ne rapporterait le travail de la mère qu'autoriserait l'exil du bébé. La réorganisation, en 1769, du marché parisien des nourrices est d'ailleurs un indice du succès du nourrissage mercenaire. Le « *Grand bureau* » nouvellement créé met en relation parents et nourrices et fait à ces dernières l'avance du salaire dont il se charge de récupérer le montant auprès des premiers [51].

L'essor de l'abandon et de la mise en nourrice au long des trois siècles de l'Ancien Régime a parfois été interprété comme la preuve de la sécheresse affective des parents dans la société ancienne [52]. En effet, si la misère ou, pour les mères célibataires, la peur du scandale peuvent expliquer la plupart des abandons, que dire de ceux d'enfants légitimes et de milieux aisés, beaucoup moins rares qu'on ne le croirait ? Peut-on admettre que des parents attentionnés aient pu hasarder la vie d'un bébé aux périls d'un voyage inconfortable, c'est le moins qu'on puisse dire, dans la charrette ou la hotte d'un « *meneur de nourrices* » ? « *C'est*, écrit

L.-S. Mercier, *un homme qui apporte sur son dos les enfants nouveau-nés, dans une boîte matelassée, qui peut en contenir trois. Ils sont debout dans leur maillot, respirant l'air par en haut. L'homme ne s'arrête que pour prendre ses repas et leur faire sucer un peu de lait. Quand il ouvre sa boîte, il en trouve souvent un de mort ; il achève le voyage avec les deux autres, impatient de se débarrasser du dépôt* » [53]. Ceux qui réchappaient de ces épreuves restaient un an, deux ans voire davantage, loin du foyer paternel, ayant de rares visites de leurs parents quand ceux-ci ne les oubliaient pas tout à fait. Beaucoup, d'ailleurs ne réintégraient jamais leur famille car la mortalité des enfants mis en nourrice était bien supérieure à celle des bébés allaités par leur mère. On comprend que certains historiens aient pu interpréter ces pratiques, ou d'autres encore qui montrent le peu de précautions que l'on prenait pour le nouveau-né, comme le témoignage «*d'une stratégie (plus ou moins consciente et allant dans le sens de la sélection naturelle) de limitation du nombre des enfants au sein de la famille* » [54].

L'abandon et le «*nourrissage mercenaire*» n'étaient d'ailleurs pas le seul moyen d'exclusion du jeune enfant. Il y en avait d'autres, moins radicaux il est vrai. Ainsi le maillot qui, enserrant bras et jambes comme une camisole de force, l'empêchait de bouger ou encore le berceau dans lequel il était étroitement sanglé. Au sortir des mains de la nourrice fils et fille de bonne famille n'embarrassaient guère leurs parents puisqu'ils étaient confiés à une gouvernante puis à un précepteur. Dans la seconde moitié du XVIIIe siècle, la mise en pension se répand pour les plus grands grâce à la vogue toute nouvelle des internats. Avec un peu de chance, les parents ne retrouvaient leur fille qu'au moment de la donner à un mari, leur garçon qu'au moment de l'établir.

Gardons-nous pourtant, une fois encore, d'interpréter trop vite les conduites du passé à la lumière des mentalités d'aujourd'hui. L'abandon, qui nous paraît scandaleux, pourrait bien avoir constitué un progrès dans le long terme et témoigné d'un plus grand souci de l'enfant dans la mesure où il se serait substitué à l'infanticide, voire à l'avortement. Sous la forme où il est pratiqué le plus souvent au XVIIIe siècle (confier le bébé à une institution charitable et non plus, comme c'était le cas fréquent dans le passé, l'exposer sous un porche ou au pied d'un arbre), il pouvait s'inspirer de bons sentiments. Des parents « *éclairés* », peut-être effrayés par l'idée qu'ils se faisaient de leur inaptitude à élever leurs enfants, ont pu croire que leur avenir serait meilleur s'ils les confiaient à l'hospice, comme le fit Rousseau lui-même [55]. D'autres ont pensé de bonne foi que rien ne fortifierait mieux leur progéniture que le lait d'une nourrice florissante et l'air pur de la campagne.

Quoi qu'il en soit, au temps des Lumières, un nouveau discours surgit et se développe, que nous comprenons bien car il est à l'origine de nos propres mentalités. Il condamne les comportements traditionnels au nom des intérêts de l'enfant. Il vante les mérites de la paternité et surtout de la maternité. Il fait de l'amour des parents pour leurs enfants non seulement un devoir mais la source du plus grand bonheur.

Toutes les « *élites* » prennent part à ce plaidoyer, les clercs comme les laïcs, les moralistes comme les médecins, les philosophes comme les économistes.

L'évolution de la littérature religieuse est caractéristique à cet égard. De tradition, elle insistait sur la nécessaire autorité parentale, le devoir d'obéissance et de reconnaissance des enfants. Sans doute ne reconnaissait-elle pas que des droits aux parents. Yvonne

Knibiehler a montré que l'apport du christianisme avait consisté à associer des devoirs aux pouvoirs du «*pater familias*» de l'Antiquité [56]. Le père n'avait pas assez fait en donnant la vie à son rejeton. Ce dernier appartenait en fait à Dieu et le père devrait un jour rendre compte au Créateur de la santé du corps et surtout du salut de l'âme de son enfant. Il devait par conséquent lui assurer une éducation religieuse et morale, lui fournir le vivre et le couvert, se soucier de faire apprendre un métier au garçon et de marier convenablement la fille. Pourtant, l'Eglise tenait pour suspecte une trop grande affection réciproque qui pourrait contrevenir au premier commandement.

Sans se départir d'une certaine méfiance envers l'enfant, qui contribue à expliquer la sévérité persistante de bien des méthodes d'éducation, l'Eglise commence au XVIIIe siècle à «*lâcher la bride au sentiment*» comme dit Jean-Louis Flandrin. Alors qu'auparavant, catéchismes et manuels de confesseurs se satisfaisaient de témoignages d'amour tout négatifs (il ne fallait pas haïr, injurier, frapper ses parents...), ils encouragent désormais les enfants à manifester positivement leur affection à l'égard des père et mère. «*Il faut*, dira à la fin du siècle le catéchisme de Lausanne, *avoir une tendresse de cœur envers eux, leur vouloir et leur faire tout le bien spirituel et temporel que l'on peut*» [57].

En dehors de l'enseignement de l'Eglise officielle, il faut d'ailleurs prendre en compte la pratique quotidienne des chrétiens qui fait une place importante au culte de l'Enfant-Jésus et de la Sainte Famille comme l'atteste « *l'extraordinaire succès des Noëls*» populaires au siècle des Lumières [58].

Les philosophes se sont aussi beaucoup intéressés aux enfants. Rejetant l'idée du péché originel, ils exaltent la pureté de l'enfance considérée comme l'état le plus proche de celui de la nature. « *Assemblez tous les enfants de l'univers, vous ne verrez en eux que l'innocence, la douceur et la crainte* », écrit Voltaire à l'article « *Méchant* » du *Dictionnaire philosophique*. Diderot est plus réaliste. Il reconnaît que l'enfant peut-être cruel mais ce n'est pas un vice inhérent à sa nature qui exigerait d'être extirpé avec rudesse, c'est une simple virtualité que développe la société. « *Non, la nature ne nous a pas faits méchants ; c'est la mauvaise éducation, le mauvais exemple, la mauvaise législation qui nous corrompent* » [59]. Chaque enfant est un être spécifique qui porte en lui les germes des qualités dont il revient à l'éducation de permettre l'épanouissement.

Diderot contribue ainsi à conférer à l'enfance une dignité sur laquelle Rousseau insiste encore davantage dans *La Nouvelle Héloïse* (1761) et l'*Emile* (1762). Son idée centrale est que les enfants ne sont pas des adultes en réduction, imparfaits, mais que ce sont des êtres complets dont les facultés sont adaptées aux besoins et peuvent les rendre heureux. Le but de l'éducation n'est donc pas de combattre la nature enfantine pour y substituer celle de l'adulte, mais simplement d'aider la nature à développer ses dons : « (...) *chacun apporte en naissant un tempérament particulier qui détermine son génie et son caractère, et qu'il ne s'agit ni de changer ni de contraindre, mais de former et de perfectionner (...)* » [60].

Parallèlement à cette nouvelle conception de l'enfance, on note un intérêt accru pour le dramatique problème de la disparition prématurée des jeunes. La mortalité des enfants demeurait, en effet, tout à fait effroyable à la fin de l'Ancien Régime. On estime qu'à peu près un sur quatre mourait avant d'avoir atteint sa première année, et guère moins d'un sur deux avant dix ans. On s'était longtemps résigné à cette hécatombe, mais à l'époque des Lumières, elle fait de plus en plus scandale, peut-être parce que l'on commence à entrevoir les possibilités d'un recul de la mort, peut-être aussi parce que la foi s'affaiblit. Les curés et les médecins jouent le rôle d'éveilleurs de conscience face au fléau. Les premiers, parce qu'ils tiennent les registres paroissiaux, sont à même d'en mesurer l'ampleur et, persuadés de leur devoir philanthropique, se désolent de ne pouvoir guérir les corps comme les âmes. Les seconds, s'ils sont presque aussi mal armés contre la maladie que les médecins de Molière, n'ont plus du tout l'état d'esprit de Diafoirus. Ils ne se contentent plus de cacher leur ignorance derrière un baragouin latinisant mais cherchent avec passion à comprendre la cause des maladies, en regrettant leur impuissance.

En fait, tous les observateurs de la société se scandalisent de voir mourir les enfants en si grand nombre d'autant que, pour la plupart, ils sont persuadés bien à tort que la France se dépeuple. Ce n'est pas seulement par souci humanitaire, mais parce que l'enfant représente une valeur économique qu'ils veulent assurer sa survie. C'est par exemple, ce qu'écrit Moheau, l'ancêtre des démographes : « *S'il est des princes, dont le cœur soit fermé au cri de la nature (…), ils devraient au moins observer que l'homme est tout à la fois le dernier terme et l'instrument de toute espèce de produit ; et en ne le considérant que comme un être ayant un prix, c'est le plus précieux trésor d'un souverain (…)* » [61].

Ces préoccupations qui s'expriment dans des milieux très divers, aboutissent, nous le verrons, à des efforts concrets pour faire reculer la mortalité des nouveaunés par une plus grande médicalisation des accouchements, et à un début de lutte contre les épidémies, notamment celles de la variole qui emportaient un grand nombre d'enfants [62]. Elles débouchent aussi sur une nouvelle conception du « *métier de parents* ».

Les conduites traditionnelles ne sont plus comprises par les esprits « *éclairés* », ainsi Bernardin de Saint-Pierre qui les condamne dans ses *Etudes de la Nature* qui paraissent l'année du *Mariage de Figaro* : « *Si les pères battent les enfants chez nous, c'est qu'ils ne les aiment pas ; s'ils les mettent en nourrice dès qu'ils sont venus au monde, c'est qu'ils ne les aiment pas ; s'il les envoient, dès qu'ils grandissent, dans des pensions et des collèges, c'est qu'ils ne les aiment pas* » [63].

Toute une campagne d'opinion qui a débuté vers 1760 et à laquelle s'associent médecins, moralistes, philosophes, hommes et femmes de lettres et jusqu'aux peintres et aux graveurs, agit en faveur de la paternité et de la maternité assumées.

Son objectif premier est la femme. Il s'agit de la persuader que seule la maternité accomplie lui donnera le bonheur et la gloire. A l'exemple de Julie, la « *Nouvelle Héloïse* », la mère trouvera son plaisir, quelque peu masochiste, dans son dévouement pour ses enfants. Un lieutenant de police lyonnais, Prost de Royer, constatant en 1778 que « *la voix de la nature s'est fait entendre dans le cœur de quelques-unes de nos jeunes femmes* » affirme : « *Plaisirs, charmes, repos, elles ont tout sacrifié. Mais qu'elles nous disent si les inquiétudes et les privations de leur état ne sont pas une jouissance comme toutes celles que cause l'amour* » [64].

La maternité consolide aussi le bonheur conjugal. Rousseau écrit dans *Emile* : « *L'attrait de la vie domestique est le meilleur contrepoison des mauvaises mœurs. Le tracas des enfants, qu'on croit importun, devient agréable ; il rend le père et la mère plus nécessaires, plus chers l'un à l'autre ; il resserre entre eux le lien conjugal.* » Enfin les soins maternels procurent à la femme la considération publique. Rousseau promet à la bonne mère « *l'estime et le respect du public (…), le plaisir de se voir imitée un jour par sa fille, et citée en exemple à celle d'autrui* » [65].

La mère exemplaire que vante Rousseau allaite elle-même son enfant. La condamnation de la pratique si répandue de la mise en nourrice, l'exaltation de l'allaitement maternel sont en effet au cœur de la campagne pour la nouvelle image de la mère. Tous les arguments sont bons pour persuader les femmes de donner le sein à leur nouveau-né. On en appelle à l'exemple des Anciens : Rome était grande et vertueuse sous la République quand les citoyennes allaitaient leurs bébés. Les qualités de la race ont dégénéré sous l'Empire parce que, comme l'a déjà constaté César de retour des Gaules, « *les Romaines amollies préféraient porter dans leurs bras des singes et des petits chiens, plutôt que leurs enfants* » [66]. On recourt à l'argument de la Nature, citant en modèle les créatures que l'on juge les plus proches d'elle, femelles animales ou femmes « *sauvages* ». On s'appuie sur des considérations pseudo-médicales : la mère qui fait passer son lait risque toutes sortes de maladies ; l'hérédité, pense-t-on, est transmise par le lait comme par le sang et la nourrice mercenaire communique au bébé les tares et les vices que l'on est prompt à supposer chez la femme du peuple. Surtout on en appelle au sentiment moral. Le « *nourrissage mercenaire* » est doublement fautif puisqu'il prive deux enfants de l'affection maternelle : celui de la nourrice qui doit être sevré trop tôt, et celui qu'elle accueille, éloigné du foyer où il est né [67].

L'époque des Lumières connaît donc une véritable « *assomption de la mère* » selon le mot heureux d'Yvonne Knibiehler. Mais le discours de l'époque transforme aussi l'image du père. D'abord il met l'accent sur la responsabilité paternelle dans l'éducation. Cette idée n'est pas nouvelle, nous l'avons vu, mais elle s'exprime avec une force inconnue jusqu'alors. « *Un père*, écrit Rousseau, *quand il engendre et nourrit des enfants, ne fait en cela que le tiers de sa tâche. Il doit des hommes à son espèce, il doit à la société des hommes sociables ; il doit des citoyens à l'Etat* » [68]. Quelle responsabilité écrasante ! On conçoit que les hommes «*éclairés*» aient pu éprouver quelque angoisse à l'idée d'être pères [69].

Une plus grande nouveauté de l'époque est que l'on permet aux pères de manifester leur tendresse. Alors que la civilisation classique exigeait des hommes qu'ils cachent au mieux leurs sentiments, qu'ils répriment leurs émotions, on leur recommande désormais l'épanchement, les caresses et même les larmes de tendresse [70].

Dans cette campagne d'opinion le livre a la première place : pédagogique comme *Emile*, modèle incontesté du genre, plus subtilement didactique comme le roman, de *La Nouvelle Héloïse* à *Paul et Virginie* (1787) où Bernardin de Saint-Pierre répand à profusion un rousseauisme à la portée de tous, contes pour enfants, comme cet ouvrage d'Antoine Berquin (*L'ami des enfants*) que l'Académie française couronne en 1784. Mais l'image fait aussi beaucoup pour répandre les mentalités nouvelles. Le XVIIIe siècle a vu se populariser les estampes. Même dans les milieux modestes, il est de bon ton d'en fixer aux murs de son logis. C'est ainsi que sont vulgarisées les œuvres des grands maîtres de la fin de l'Ancien Régime qui tous exaltent le bonheur familial. Avec les portraits d'enfants peints si tendrement par Jean-Baptiste Chardin qui meurt en 1779 (*La jeune gouvernante* ou *l'Enfant au toton*) ou les mères attentionnées qu'il met en scène (*Le Bénédicité, La Mère laborieuse*), on pourrait citer, parmi tant d'autres, les tableaux de Fragonard au titre révélateur (*Le berceau, Les délices maternelles*), les toiles de Jean-Baptiste Greuze qui sont autant de leçons de morale familiale (*L'accordée de village, La Malédiction paternelle, Le Fils puni, La privation sensible* qui évoque l'arrachement que la mise en nourrice provoque au cœur de la mère, et aussi *La bonne Mère, La Paix du ménage ou Délices de la paternité*), les œuvres de Jean-Baptiste Leprince, élève de Boucher, auxquelles la gravure de Nicolas Delaunay a donné une très large audience, comme *L'enfant chéri* ou *Le bonheur du ménage* qui exaltent l'allaitement maternel et l'union des générations autour du berceau.

Cette propagande portera surtout ses fruits au XIXe siècle, mais dès l'époque des Lumières, des parents se sont efforcés de modeler leur conduite sur ces préceptes nouveaux. Personne, peut-être, ne l'a fait avec plus de conscience que Madame Roland, rousseauiste enthousiaste et mère accomplie qui souligne dans une lettre à son époux, en 1781, le bonheur qu'elle éprouve en allaitant sa fille : « *Je n'ai presque plus de douleurs en lui donnant à têter et, ce que je n'aurais pas cru, je sens de l'augmentation dans le plaisir de le faire ; je la prends toujours sur moi avec un tressaillement d'aise, en voyant son empressement et son air de santé : c'est une fête pour nous deux* » [71].

LES FONDEMENTS
DE L'OPTIMISME

« Il y a des gens qui disent que la vie n'est qu'un assemblage de malheurs (...). Mais ceux qui tiennent ce langage sont assurément malades ou pauvres, car s'ils jouissaient d'une bonne santé, s'ils avaient la bourse bien garnie, la gaieté dans le cœur, des Cécile, des Marine, et l'espérance de mieux encore, oh! certes ils changeraient d'avis » [1].

Une meilleure santé, plus d'argent et surtout plus d'espérance, le gros bon sens dont fait preuve ici Casanova ne donnerait-il pas la clé de l'optimisme des Lumières? Le bonheur de vivre qui gonfle alors tant de cœurs résulte sans doute pour partie de l'évolution favorable de facteurs matériels au long du XVIIIᵉ siècle, comme l'essor démographique et la prospérité de l'économie, et d'autre part d'éléments psychologiques : une solide confiance dans l'avenir, une foi quasi religieuse dans le progrès.

L'essor démographique
ou les prémices du triomphe de la vie

La France a connu au XVIIIe siècle une expansion démographique importante. Alors que, dans le cadre des frontières actuelles, elle comptait au moins 23 millions d'âmes entre 1700 et 1729, elle avait atteint les 28,6 millions en 1790, soit une augmentation de plus de 24% [2]. Bien que son taux de croissance ait été nettement plus faible que celui de la plupart des pays du Nord et de l'Est (deux fois inférieur par exemple à celui de la Suède ou de l'Angleterre), la France était toujours l'État le plus peuplé d'Europe après la Russie.

Surtout, la population du royaume de Louis XVI était jeune, puisque les moins de 20 ans en représentaient en 1775, 42 ou 43% [3]. Il est essentiel de prendre en compte le poids de cette jeunesse si l'on veut comprendre tout à la fois l'intense appétit de vie à l'époque des Lumières et l'acuité des problèmes d'insertion dans le monde du travail.

Le croît de la population est redevable à un nouveau style démographique qui s'est imposé depuis le milieu du XVIIIe siècle : il se caractérise par un excédent assez régulier des naissances sur les décès, tandis que, jusqu'alors, les unes et les autres s'équilibraient de façon précaire. C'est en effet au temps des Lumières que se dessine la victoire décisive de la vie sur la mort qui deviendra la marque de l'époque contemporaine. Alors que la natalité ne connaît pas de fléchissement notable avant les toutes dernières années du siècle, la mortalité commence à céder le pas.

Le phénomène est dû, presque uniquement, au recul de la mortalité de crise, au relatif effacement de ces *«clochers de mortalité»* que connaissent bien les historiens de la démographie des Temps Modernes. Dans le second XVIIIᵉ siècle, disparaissent en effet quasiment ces offensives sauvages de la mort qui, en l'espace de deux ou trois ans, multipliaient par trois ou quatre le nombre des sépultures. Outre l'absence de guerre sur le territoire national, il faut sans doute chercher les causes de cette amélioration dans l'ensemble des petits progrès agricoles qui permettent de maintenir, voire d'améliorer le niveau alimentaire des Français, et surtout dans la moindre virulence des épidémies. On sait que la peste bubonique a quitté la France après avoir, une dernière fois, ravagé Marseille en 1720. A vrai dire, il y a encore, de temps à autre, des traînées épidémiques que les contemporains continuent à appeler «pestes» et qui occasionnent d'importants surcroîts de mortalité. Ainsi la dysenterie de 1779, véritable catastrophe démographique dans l'ouest du royaume, qui aurait fait 175 000 morts en moins de six mois [4]. Indéniablement toutefois, ces offensives épisodiques de la mort ont moins d'agressivité que sous le règne de Louis XIV ou dans les premières décennies de celui de Louis XV. Un simple coup d'œil sur les courbes paroissiales longues suffit à le vérifier.

Les médecins ne sont pas pour grand-chose dans ce premier recul historique de la mort. Pourtant, nous l'avons dit, un nouvel état d'esprit les anime qui les porte à rechercher avec passion les causes des maladies et tenter d'y porter remède [5]. Leur intérêt va d'abord vers le premier âge, scandalisés qu'ils sont par la surmortalité infantile.

De tradition, l'accouchement était l'affaire des femmes. C'étaient des voisines, des matrones sans formation scientifique, qui assistaient les parturientes dans ces moments délicats. Le tabou sexuel maintenait l'homme à l'écart et seule une petite élite urbaine faisait appel au chirurgien. A la fin de l'Ancien Régime une campagne d'opinion se développe qui dénigre les sages-femmes accusées d'être les mainteneuses de la tradition obscurantiste et exalte le rôle du chirurgien présenté comme l'homme de science, celui qui sait manier les instruments, surtout le redoutable forceps. Il s'agit là d'une étape importante vers la mise en place d'un pouvoir médical masculin qui se développera beaucoup au siècle suivant [6].

En même temps des manuels d'accouchement, dont le best-seller est le cours de Baudelocque édité pour la première fois en 1775, sont répandus auprès des médecins de province, mais aussi de divers notables qui servent d'intermédiaires culturels : curés, sages-femmes, dames de charité. L'enseignement de l'obstétrique se diffuse dans tout le royaume. Depuis longtemps des cours avaient été mis en place dans quelques grandes villes : ainsi en Languedoc, dès 1730 à Toulouse, 1759 à Montpellier. Mais au temps de Louis XVI, c'est un réseau serré de formation des sages-femmes qui se constitue. Madame Le Boursier du Coudray, une maîtresse sage-femme qui avait mis au point une méthode de démonstration sur mannequin, parcourt la Normandie, la Bretagne, Le Maine, l'Anjou. Appelée en 1777 dans la généralité de Tours par l'intendant du Cluzel, elle fait à Angers son cours inaugural en juin de l'année suivante devant Michel Chevreul, maître chirurgien et ancien élève de Baudelocque, quatre jeunes chirurgiens de l'Hôtel-Dieu et 113 filles et femmes que seigneurs et curés de 102 paroisses ont envoyées dans la capitale provinciale. Madame du Coudray forme neuf chirurgiens démonstrateurs qui ont mission de continuer son œuvre après elle. De fait, huit centres d'enseignement de l'obstétrique ont fonctionné en Anjou jusqu'en

1784 [7]. En Languedoc, évêques, municipalités et Etats provinciaux rivalisent de zèle : 17 cours que financent les uns ou les autres s'ouvrent de 1774 à la Révolution [8].

Cependant les nouveau-nés ne mouraient pas seulement à cause des insuffisances techniques des accouchements (et bien sûr de l'absence de prophylaxie qu'il faudra attendre l'ère pastorienne pour voir apparaître), mais parce qu'ils étaient frappés de diverses maladies gastro-intestinales, atteints par les « *pourpres* » (rougeole, rubéole ou scarlatine) ou par la variole. Après la disparition de la peste, celle-ci reste un des fléaux les plus redoutables pour l'ensemble de la population, mais surtout pour les jeunes. Les médecins font aussi des efforts méritoires pour en juguler les épidémies.

La technique de l'inoculation (qui consiste à transmettre le germe de la variole à un patient soigneusement préparé afin de déclencher une forme bénigne de la maladie susceptible d'entraîner une immunité ultérieure) a été introduite d'Angleterre dès les années 1730. Mais ce n'est que dans la seconde moitié du XVIIIe siècle qu'elle s'est répandue grâce à deux médecins étrangers, le Genevois Tronchin qui n'a pas hésité à faire inoculer son fils puis les deux enfants du duc d'Orléans, et l'Italien Angelo Gatti qui inocule en 1769 la duchesse de Choiseul. Les Grands ont, en effet, donné l'exemple et les pouvoirs publics leur appui. Des expériences sur une large échelle ont été faites à l'Ecole Royale Militaire de la Flèche ainsi qu'en Franche-Comté sur des enfants pauvres. Mais l'inoculation n'est pas une technique sûre. Il y a beaucoup d'échecs et cela déclenche une polémique ardente entre ses partisans et ceux qui affirment qu'on n'a pas le droit de risquer la vie d'un individu en bonne santé. En fait, l'inoculation n'a pas fait reculer la variole qui ne sera vaincue qu'au siècle suivant, grâce à la vaccine mise au point par Jenner en 1796 [9].

Les progrès médicaux sont très faibles en définitive et leur efficacité à peu près nulle. Ils témoignent seulement de l'esprit scientifique qui a gagné beaucoup de médecins et de chirurgiens à la fin de l'Ancien Régime, condition nécessaire aux progrès du siècle à venir. La réduction de la mortalité infantile est encore imperceptible. Pour les années 1780-1789, Yves Blayo a proposé les taux impressionnants de 251 décès pour mille filles de moins d'un an, et même 281‰ pour les garçons [10]. Seul le repli de la mortalité de crise a permis de dégager d'importants excédents de naissances à une époque où la natalité reste élevée, avec un taux de l'ordre de 37 à 39‰.

Les naissances cependant étaient limitées par le nombre important des célibataires surtout dans les villes où une bonne partie de la population était composée de domestiques, de clercs, de soldats, de prostituées, de mendiants, et par la fréquence du veuvage, il est vrai partiellement compensée par la rapidité des remariages. De plus la fécondité des femmes mariées était restreinte par les migrations temporaires qui éloignaient bien des époux, les prescriptions religieuses (abstinence sexuelle de l'avent et du carême), les séparations de corps (en l'absence du divorce). Enfin l'âge moyen au mariage n'avait cessé d'avancer au long du siècle ; il était à la fin de l'Ancien Régime, d'environ 26,5 ans pour les filles et 28,5 ans pour les garçons.

En dehors de l'âge tardif des filles au mariage, arme contraceptive classique des Temps Modernes, des techniques de contrôle des naissances se répandent au temps de Louis XVI, essentiellement le retrait masculin, le *coïtus interruptus*. Pratiqué depuis longtemps dans les milieux des prostituées, des libertins et dans l'aristocratie, il se diffuse dans les couches moyennes des villes puis le petit peuple, enfin dans certaines régions rurales comme la Normandie ou le Bassin Parisien. Toutefois, malgré la phrase célèbre de Moheau (« *On trompe la nature jusque dans les villages* » [11]), l'expansion des « *funestes secrets* » ne pèse pas encore sur la courbe des naissances. On peut simplement parler d'un tassement de la fécondité légitime à la fin de l'Ancien Régime ; le décrochement significatif de la natalité est pour plus tard, dans les dernières années de la Révolution.

Doté d'une population abondante et jeune, le royaume de Louis XVI possède également une économie florissante dans son ensemble, résultat de plusieurs décennies de prospérité. Celle-ci se révèle à cette hausse des prix dans la longue durée que les travaux classiques d'Ernest Labrousse ont mis en lumière : 66% d'augmentation moyenne pour les prix agricoles entre les années 1726-1741 d'une part, 1771-1789 de l'autre [12]. Les causes essentielles en sont bien connues : l'inflation des métaux précieux américains qui provoque celle du stock monétaire et l'inflation des hommes dont on vient de parler. L'essor démographique joue en effet, au moins à deux niveaux : directement d'abord selon la loi de l'offre et de la demande, mais aussi indirectement en obligeant à mettre en culture des terres nouvelles, à intensifier la production sur les terres déjà cultivées, ce qui contribue à augmenter les coûts et donc les prix.

Une certaine prospérité agricole

La demande de produits alimentaires en plus grande quantité a entraîné une poussée des défrichements, surtout à partir de 1760, ce qui correspond au moment où la hausse des prix agricoles connaît son principal élan.

La nouveauté, sans doute, n'est pas bien grande. Au long des siècles on a pu constater une *« respiration alternée »* de la terre cultivée s'étendant puis se rétractant selon les pulsions de la démographie. Ce qui est plus original, sous le règne de Louis XV, c'est l'intérêt de l'Etat pour la conquête de nouveaux espaces à soumettre à la charrue. Partiellement gagné aux idées physiocratiques [13], il accorde par trois fois, dans les années 1760, des exemptions fiscales aux défricheurs et aux assécheurs de marais.

Les résultats de ces entreprises varient selon les régions et, pour l'ensemble de la France, paraissent bien médiocres. Ils ne sont guère honorables qu'en Bretagne, en Bourgogne, dans le Midi. François Lebrun qualifie de *« presque dérisoire »* le bilan des défrichements privilégiés en Anjou. Pourtant, là comme ailleurs, une aristocratie rurale convertie aux idées nouvelles avait donné l'exemple. Or, entre Baugé et La Flèche, sur les terres du marquis de Turbilly, un des grands promoteurs du défrichement, Arthur Young n'en verra à la fin de l'Ancien Régime *« d'autres traces que l'aspect encore plus misérable, plus ruiné du pays »*. Sans doute l'insuffisance des techniques et des capitaux investis, notamment l'absence de fumure, avait rapidement épuisé le sol après la flambée illusoire des premières récoltes due à la longue jachère qui avait précédé le défrichement [14].

Le recul de la jachère, mais sur un rythme d'une très grande lenteur, est justement un autre trait de modernité de l'agriculture au temps des Lumières. L'insuffisance de la fumure obligeait à laisser inexploitée, tous les ans, une portion variable du terroir paroissial, le tiers le plus souvent, mais parfois beaucoup plus. L'existence de cette large jachère amenait à réserver l'essentiel du terroir aux grains, ce qui entraînait l'insuffisance des prairies, donc du bétail et de la fumure. Ainsi était bouclé le cercle vicieux de l'agriculture ancienne.

La jachère s'intégrait dans la plupart des types d'assolement en usage dans les divers «*pays*» agricoles de France, mais selon des rythmes différents. On peut admettre que l'assolement triennal, qui supposait le repos d'un tiers des terres tous les ans, dominait dans les zones d'openfield qui s'étendaient au nord de la Loire et à l'est du Massif Armoricain, tandis que dans les pays de plaines ouvertes du sud de la Loire, l'assolement biennal était le plus répandu. Mais le biennal n'était pas inconnu de certains terroirs du Nord, le triennal n'était pas absent du Midi. Dans le Lauragais, riche plaine céréalière, les progrès du maïs avaient permis l'adoption, dès les années 1760, d'un type d'assolement basé sur le fameux «*blé de Turquie*», le froment et la jachère [15].

Dans les bocages, ceux de l'Ouest mais aussi du Sud-Ouest et du Massif Central, le système était fort différent. Ici, pas d'assolement régulier et obligatoire pour l'ensemble du terroir paroissial. Dans le Choletais par exemple, on cultivait tous les ans les jardins, vignes et chènevières situés près de la ferme ou du bourg, mais la jachère apparaissait sur les champs plus éloignés, plus ou moins longue selon la qualité des sols. Sur les «*terres froides*» des confins paroissiaux, on cultivait jusqu'à épuisement des céréales peu exigeantes comme le seigle, puis on laissait le sol retourner à la lande, parfois pendant une dizaine d'années.

De nombreux terroirs échappent à ces modèles : ceux des régions méditerranéennes, des montagnes, des grands massifs forestiers par exemple. Dans certaines zones favorisées, la jachère avait disparu tout à fait. Ainsi en Flandre, autour de Lille, la terre des petites exploitations ne se reposait jamais. Dans les plus grandes, la jachère ne s'étendait guère à plus de la huitième partie du sol. D'ailleurs elle portait des cultures dérobées : colza, avoine, navets, choux. La réduction de la jachère avait été le résultat conjugué de l'introduction des « *plantes nouvelles* » et d'un fumage abondant. Ici, l'on cultivait depuis longtemps, en fait, les plantes à racines (raves, carottes, navets), les plantes industrielles (lin, tabac, houblon, navette, colza, œillette), la pomme de terre et les plantes fourragères (trèfle, vesce, lentilles, pois, fèves). On utilisait le fumier produit par le bétail nourri à l'étable mais aussi la colombine, la boue des rues et des canaux, la gadoue ou courte-graisse (l'engrais humain), les cendres de tourbe et même de houille [16]. Dans d'autres régions on avait pu se libérer de la jachère par des moyens différents. Sur certains terroirs littoraux, c'était grâce à l'engrais que fournissaient les algues. Dans le Val de Loire angevin, riche en alluvions, la base de l'agriculture était un assolement biennal faisant alterner le froment et les fèves mais dans lequel interféraient beaucoup d'autres cultures : seigle, maïs, vesce, pois, lentilles, sans parler des prairies, des arbres fruitiers et des vignes. Certains secteurs privilégiés de la région de Bourgueil y ajoutaient melons, oignons, anis, coriandre, cultivés à la bêche entre les arbres sur lesquels grimpaient les pampres, comme dans les zones de « *coltura promiscua* » italiennes [17].

110

Pas plus que le défrichement, la lutte contre la jachère n'est vraiment une nouveauté à la fin du XVIIIe siècle. Plantes fourragères et plantes à racines étaient largement cultivées en Hollande et dans les Pays-Bas au XVIIe siècle, et de là elles ont gagné les meilleures terres de la France du Nord. Ce qui est nouveau, dans ce domaine aussi, c'est l'intérêt pour la modernité : celui de l'Etat et celui des « *élites* » qui servent de modèle. Ce sont les plus grands propriétaires, des nobles essentiellement, qui paraissent les plus actifs : un La Rochefoucauld-Liancourt dans sa ferme modèle du Beauvaisis, Turbilly en Anjou, Choiseul à Chanteloup, Lavoisier dans son domaine de Fréchines entre Blois et Vendôme, etc. Les journaux, les académies, les sociétés d'agriculture contribuent à la diffusion des techniques et des plantes encore mal connues, dans l'esprit de la physiocratie. Pendant la seconde moitié du XVIIIe siècle, les sciences et les arts, dont l'agronomie, occupent une place de plus en plus grande parmi les sujets proposés au concours par les académies de province. Les sociétés d'agriculture de l'Ouest, qui se sont multipliées dans les années 1750 et 1760, poussent jusqu'à d'infimes détails techniques leur intérêt pour toutes les modernités [18].

Le recul des jachères a sans doute fait faire plus de progrès à l'agriculture que les défrichements, mais le résultat global a été bien médiocre. La première enquête « *décennale* » du XIXe siècle, celle de 1840, ne montre-t-elle pas que les jachères occupent encore 27% des terres labourables ? Pourtant, le recul de la jachère s'est fait un peu partout, mais toujours à petits pas. Les changements les plus importants ont pour cadre les provinces du Nord, Hainaut, Cambrésis, Boulonnais, qui prennent modèle sur la Flandre, quelques pays normands ou manceaux : le curé angevin Besnard, nommé dans le Maine, a dit son émerveillement de voir les vaches enfouies jusqu'au ventre dans le trèfle [19]. La jachère a cédé aussi du terrain dans le Sud-Ouest, grâce au maïs dont le rendement est environ cinq fois supérieur à celui du froment.

En définitive, les gains de terre ont été minimes, dus sans doute pour l'essentiel à l'introduction très progressive et lente de ce qu'on nomme (d'un terme mal adapté à la fin du siècle des Lumières) les « *cultures nouvelles* » qui permettent une rotation plus rapide des sols, la conversion des jachères longues en jachères plus courtes. Y a-t-il eu, en parallèle, progrès des rendements ? Une vigoureuse polémique a opposé, à ce sujet, les historiens de l'économie, notamment Emmanuel Le Roy Ladurie et Michel Morineau [20]. Le premier a proposé l'idée d'une hausse de la productivité agricole, un certain décollage des rendements à partir de 1750, ce que le second conteste. Il ne nous appartient pas ici de trancher le débat. Tout au plus peut-on dire que, dans l'état actuel de la recherche, il semble que les rendements moyens n'aient guère augmenté. Mais les moyennes peuvent cacher d'importantes disparités. Dans les terres à céréales dominantes, en Alsace ou dans le Bassin Parisien, il y a eu progrès dans la seconde moitié du XVIIIe siècle, mais cela a permis simplement de retrouver, par-delà le « *tragique XVIIe siècle* », les niveaux de production du début des Temps Modernes. Est-ce que cette récupération a été suffisante pour nourrir une population en expansion ? Le simple fait qu'il n'y ait pas eu de véritable famine depuis la fin du règne de Louis XIV le montre à l'évidence. Mais les zones de polyculture plus diversifiées ont sans doute permis, plus facilement que les plaines céréalières, de nourrir les bouches supplémentaires. Ce n'est pas seulement vrai pour le Nord, le Val de Loire, les zones à maïs du Sud-Ouest. Même des pays apparemment bien pauvres comme les terres à seigle du Vivarais ou du Limousin ont pu faire face, sans trop de problèmes, aux besoins d'une population croissante grâce à l'essor du châtaignier et de la pomme de terre. Il faut aussi tenir compte de ce qu'Ernest Labrousse appelle les «*nouveaux aménagements de l'espace cultural*» [21], tels que le couchage en herbe des champs céréaliers du pays d'Auge stimulé par le marché parisien, ou les effets de la lente acclimatation, sur plusieurs siècles, non seulement du maïs et de la pomme de terre, mais du blé noir, des haricots et des plantes méridionales (artichauts, tomates, aubergines, etc.) cheminant lentement vers le Nord.

Au total, il ne s'est rien produit en France de semblable à cette « *révolution agricole* » dont on parlait naguère, mais une multitude de progrès ponctuels, tant qualitatifs que quantitatifs, qui ont permis, ou accompagné, l'essor démographique.

L'augmentation de la production, ici ou là, la substitution de denrées qui se vendent plus cher à d'autres plus populaires (le froment au lieu du seigle par exemple), surtout la hausse des prix, ont profité à la frange supérieure du monde rural. Tous ceux qui pouvaient se permettre d'être toujours en position de vendeurs, engrangeant après une bonne récolte pour écouler leurs stocks au moment de la «*cherté*», faisaient de juteux profits. Tout d'abord la « *classe propriétaire* » chère aux physiocrates. Non pas l'ensemble des propriétaires, mais ces 5 à 8% des Français qui possèdent la moitié du sol cultivable et vivent, sans mettre la main à la charrue, de la rente foncière ou seigneuriale : nobles, clercs ou bourgeois. Dans ce groupe il n'y a d'ailleurs pas que des propriétaires, mais aussi des gestionnaires du bien

113

d'autrui. Ainsi les fermiers des droits seigneuriaux et des dîmes. Ce sont, à la campagne, d'importants personnages. Dans l'archevêché d'Auch, au temps de Louis XVI, 78% des fermiers des dîmes étaient de bons bourgeois (propriétaires rentiers, marchands, officiers, membres des professions libérales), les autres étant surtout des paysans de la frange supérieure [22]. Il faut aussi compter parmi ces gestionnaires favorisés, les « *marchands fermiers* » qui prennent à ferme un grand domaine et le sous-louent à plusieurs exploitants. La seconde moitié du XVIIIe siècle a connu, particulièrement dans le Bassin Parisien, de l'Artois et du Soissonnais à la Beauce, de la Normandie à la Bourgogne, un mouvement de « concentration des fermes » entre les mains de fermiers généraux détenteurs de grands capitaux. Cela permettait aux propriétaires de rentabiliser leurs domaines tout en se déchargeant du souci de faire rentrer les loyers.

Bénéficiaires encore des « *bons prix* » du siècle, l'élite de la paysannerie : les « *laboureurs* » de la France du Nord ou de la Bourgogne, les plus gros des « *métayers* » des bocages de l'Ouest, les « *ménagers* » du Midi. Qu'ils soient propriétaires ou fermiers (en fait souvent les deux à la fois), ils disposent d'exploitations assez grandes pour faire des stocks et vendre des surplus quel que soit le niveau de la récolte. Ces « *coqs de village* » sont peu nombreux : dans l'Amiénois, aux alentours de 1780, ils représentent environ 5% des exploitants, ceux qui cultivent des fermes de plus de 25 hectares [23].

L'immense majorité de la paysannerie n'a guère, ou point du tout, participé à l'enrichissement. Les innombrables exploitants « *parcellaires* » qui n'ont à leur disposition que quelques hectares au maximum, n'ont de surplus à vendre que dans les années de production pléthorique, c'est-à-dire lorsque les prix sont au plus bas. Quant aux salariés agricoles, ils sont, davantage encore, exclus du bénéfice de la hausse des prix sur la longue durée, étant acheteurs plutôt que vendeurs.

Pour les grands propriétaires, les seigneurs et les décimateurs, la terre reste une valeur sûre à la fin de l'Ancien Régime. Mais elle est recherchée plus encore pour l'honorabilité qu'elle confère dans la société que pour le profit. Ce n'est pas elle qui permet d'édifier rapidement une fortune ; c'est l'entreprise, beaucoup plus risquée, du négoce, voire de l'industrie.

Le grand élan du négoce

Dans le long terme du XVIIIe siècle, le commerce extérieur de la France a connu un irrésistible élan. Pierre Léon estime qu'entre la fin du règne de Louis XIV et la Révolution, le trafic global, calculé en valeur, a été multiplié par cinq, le négoce colonial ayant même décuplé [24]. Si l'on pouvait exprimer l'évolution du trafic en tonnage, il faudrait réviser ces chiffres à la baisse pour tenir compte de la hausse des prix (encore que les importations coloniales aient plutôt vu diminuer leur valeur dans la seconde moitié du siècle). Il est certain malgré tout que le volume du trafic portuaire français a largement augmenté. A Bordeaux par exemple, le tonnage des navires a pratiquement doublé entre le début des années 1720 et les années 1780, mais l'évolution a été très différente pour le tonnage des caboteurs, resté stable, et pour celui des navires transocéaniques qui a été multiplié par 8,4 [25].

Avec l'élan de longue durée, une autre caractéristique du grand négoce français est le solde presque toujours excédentaire de sa balance, sauf en période de conflits, notamment à l'époque de la guerre d'Indépendance américaine.

Le commerce maritime s'est réorienté au cours du siècle des Lumières. La perte de l'Inde, en 1763, a porté un coup très grave au trafic avec l'Extrême-Orient et les échanges avec les pays méditerranéens se sont affaissés au temps de Louis XVI, notamment avec la chute des exportations des draps languedociens vers le Levant. Par contre, le commerce avec l'Amérique et l'Europe du Nord s'est remarquablement développé. Ces deux axes du grand négoce sont d'ailleurs liés, car ce que les armateurs français vendent dans les ports de la Mer du Nord et de la Baltique, c'est beaucoup moins les produits de l'industrie nationale, trop chers pour concurrencer ceux de l'Angleterre, que les denrées coloniales. Le sucre, l'indigo, le coton et surtout le café, sont importés des Antilles à Bordeaux, Nantes, La Rochelle et sont réexportés vers Amsterdam, Brême, Hambourg, Stettin ou Saint-Pétersbourg.

L'indépendance américaine a été une occasion offerte aux négociants français de supplanter leurs rivaux anglais du Nouveau Monde. Déjà, des brèches avaient été ouvertes par le gouvernement de George III dans le système de l'exclusif, dès les années 1760, avec la création de ports francs à La Jamaïque et surtout à La Dominique. Les Français pouvaient y introduire leurs denrées coloniales et en exporter les produits manufacturés britanniques. Ces brèches avaient été élargies par le commerce interlope favorisé par la guerre d'Indépendance. Les armateurs de Nantes, Bordeaux, avaient pris l'habitude de s'approvisionner, non plus en Angleterre, mais directement aux Etats-Unis où ils introduisaient armes et munitions. On se souvient de l'entreprise montée par Beaumarchais sous couvert de la firme prête-nom Hortalez et Cie [26]. Mais, au lendemain de la guerre, les espoirs français furent vite déçus. Les négociants anglais, qui avaient une longue pratique du marché, se rétablirent très vite aux Etats-Unis tandis que la balance du commerce franco-américain resta déficitaire.

L'un dans l'autre cependant, le grand négoce a été très prospère sous les règnes de Louis XV et de Louis XVI et il fut à l'origine de magnifiques profits. Une notable partie d'entre eux est due à la traite des Noirs qui connut son âge d'or au XVIIIe siècle. La France a été, de 1660 à 1810, le troisième pays fournisseur d'esclaves à l'Amérique avec 16% du total, loin derrière l'Angleterre il est vrai (43%) et même le Portugal (28%). Mais les travaux de Jean Meyer sur *L'armement nantais dans la deuxième moitié du XVIIIe siècle* [27] ont amené à réviser à la baisse l'idée que l'on se faisait des profits du trafic négrier. En effet, les aléas étaient grands, notamment en raison de la forte mortalité pendant les traversées, non seulement des Noirs (environ 10%), mais tout autant des équipages. Il fallait aussi compter avec la longueur des rotations des navires et la lenteur des paiements à terme. Aussi les profits des armateurs nantais n'auraient guère dépassé 2,2 à 7,5%. Ces proportions toutefois, appliquées aux sommes considérables qui étaient investies, laissent augurer un excellent rapport. Les macarons à tête de Nègre qui ornent les façades des somptueux hôtels que les armateurs se sont fait construire à Nantes sur le quai de la Fosse et dans l'île Feydeau ou à Bordeaux sur le quai des Chartrons, symbolisent la part considérable du « *bois d'ébène* » dans leur richesse. Nantes était en effet le premier port négrier français au XVIIIe siècle, mais la part prise par les Bordelais était en forte augmentation sous le règne de Louis XVI. Le gouvernement a d'ailleurs encouragé la traite, en 1785, par un système de prime sur les esclaves.

Les profits tirés du trafic européen sont, à la fin du siècle, nettement plus avantageux par rapport au capital investi, que ceux de l'armement colonial. Pour Bordeaux, Paul Butel cite en exemple la société Galwey qui a fait dans la commission plus de 38% de profit moyen en neuf ans d'exploitation, au début du règne de Louis XVI. Mais, qu'ils tirent leur fortune du commerce transocéanique ou du trafic européen, les grands négociants comptent parmi les principaux bénéficiaires de la conjoncture économique favorable du XVIIIe siècle. La plupart des profits étaient réinvestis dans l'entreprise. Toutefois, le surplus était suffisant pour permettre aux armateurs nantais ou bordelais de tenir le haut du pavé dans leur ville. En témoignent les hôtels magnifiques édifiés à Bordeaux le long des rues percées au temps de Louis XVI, cours du Chapeau rouge, cours de Tourny, pavé des Chartrons, ou encore les « folies » multipliées dans la proche campagne, révélatrices du goût nouveau pour la vie de loisirs dans une catégorie sociale traditionnellement laborieuse [28]. Séjournant dans le grand port aquitain en 1787, Arthur Young sera émerveillé par le mode de vie « *hautement luxueux* » des négociants [29].

Entraînée par le mouvement favorable des prix et l'essor du grand commerce dont elle se distingue encore assez mal, l'industrie connaît également une nette croissance au XVIIIe siècle. Cependant le rythme de ce développement diffère beaucoup selon les secteurs. Il est lent pour les industries anciennes, la toilerie et surtout la draperie, avec l'exception de la soierie dont le dynamisme est remarquable. Certes, à Tours, cette industrie est en complète décadence malgré quelques sursauts d'énergie [30], mais à Lyon le nombre des métiers a presque doublé entre la fin du règne de Louis XIV et la Révolution. La croissance est surtout spectaculaire dans les industries nouvelles comme l'extraction de la houille ou la sidérurgie. Il est vrai que la France part de très bas dans ces domaines et qu'elle reste fort en retard sur l'Angleterre dans les années 1780. Le secteur industriel de pointe est celui des cotonnades, toiles peintes ou indiennes. Autorisé en France en 1759, l'indiennage connaît un essor remarquable dans la deuxième moitié du XVIIIe siècle. Ainsi le chiffre d'affaires de la manufacture de Jouy triple à peu près des années 1770-1771 aux années 1791-1792. Il est vrai que la courbe de la production y est extrêmement irrégulière.

On ne connaît malheureusement pas mieux l'évolution du profit industriel dans la longue durée que celui du profit commercial. Faute de sources et d'études, on ne peut que se référer à des indices, comme celui du chiffre d'affaires ou celui du capital d'entreprise. Pour la manufacture d'Oberkampf, ce dernier a été multiplié par six dans les deux décennies qui ont clos l'Ancien Régime [31]. On peut cependant affirmer, sans risque d'erreur, que les grands entrepreneurs industriels sont, avec les principaux négociants, les Français qui ont bénéficié le plus de la conjoncture favorable du « glorieux XVIIIe siècle ». Il serait d'ailleurs arbitraire de distinguer les uns des autres. Les grandes fortunes jouent sur les trois tableaux du capital foncier, commercial et industriel. C'est vrai pour des familles nobles comme celles du prince de Croy, fondateur de la Compagnie d'Anzin en 1757, ou du chevalier de Solages, propriétaire des mines de Carmaux [32]. C'est aussi vrai pour les lignées bourgeoises comme celle des Périer. Le plus célèbre, Claude, cumule les activités de planteur de canne à Saint-Domingue, commanditaire d'une société marseillaise qui fait le grand commerce atlantique et patron de la manufacture d'indiennes qu'il installe, dès 1777, dans le château de Vizille près de Grenoble [33].

A un niveau bien inférieur, le commerce de détail ou de demi-gros a profité, lui aussi, de la prospérité. Le marché intérieur est en rapide progression au XVIIIe siècle, stimulé par l'accroissement démographique et l'enrichissement des plus favorisés. Tous les indices vont dans le même sens : la forte augmentation des passages aux péages terrestres ou fluviaux, ou encore la progression des ventes dans les grandes foires comme celle de Beaucaire. Pour la foule des marchands ordinaires et des petits boutiquiers, il est encore plus impossible de déterminer un indice moyen du profit que pour les grands négociants et manufacturiers. L'hétérogénéité des fortunes et des conditions est en effet considérable comme en témoigne les cotes de capitation. A Angers par exemple, la cote moyenne des négociants s'établit à 66 livres 4 sols pour l'année 1769, celle des marchands des « *cinq corps* » (c'est-à-dire l'élite du commerce spécialisé : les marchands de drap, de soie, les épiciers droguistes, les merciers, les grossiers) à 37 livres 4 sols, celle des horlogers à 14 livres 19 sols, celle des marchands de fruits et légumes à 3 livres 4 sols seulement [34].

Parmi les maîtres de l'artisanat, il faut distinguer ceux qui sont véritablement indépendants, travaillant pour le marché local, et ceux qui relèvent du cadre de la « *manufacture dispersée* ». Les premiers ont bénéficié,

120

très vraisemblablement, de l'enrichissement des couches supérieures de la société qui constituent une bonne part de leur clientèle. Les seconds ont eu moins de chance. Ces artisans « *dépendants* » se rencontrent fréquemment dans le textile, par exemple la soierie lyonnaise ou les toiles et mouchoirs du Chotelais. Là règne la « *manufacture dispersée* » qui associe des négociants, détenteurs des capitaux, et des travailleurs à domicile. Les premiers passent commande aux seconds et les rémunèrent selon un « *tarif* » qu'ils leur imposent car ce sont eux qui détiennent les clés du marché. Quand bien même les artisans emploient des compagnons, ils sont donc réduits à une sorte de salariat et ils n'ont eu que les miettes de la prospérité. C'est encore plus vrai pour les véritables salariés, compagnons de l'artisanat traditionnel, ou encore ouvriers de l'industrie moderne qui est en train de naître dans certains secteurs comme ceux de l'indiennage, des mines ou de la sidérurgie [35].

Le développement économique dans le long terme, l'essor de la population, ont contribué à forger l'optimisme caractéristique de l'époque des Lumières. Ce sont là des facteurs matériels mais qui ne sont pas sans influencer la psychologie collective. Les prémices d'un recul décisif de la mort, un mieux-être ressenti par beaucoup, ont pu inspirer aux hommes un goût nouveau pour la vie terrestre et le désir de travailler à son amélioration. Le progrès des sciences et des techniques qui résulte de cet état d'esprit retentit à son tour sur les mentalités, en persuadant hommes et femmes du temps des Lumières qu'il peut leur apporter la solution aux problèmes qu'ils se posent et, en définitive, le bonheur. Une véritable foi dans le progrès se répand. Fondée sur une confiance absolue dans la raison, elle est une caractéristique essentielle de l'esprit philosophique.

La foi dans le progrès

Une révolution de la pensée s'est produite au XVIIIe siècle dans une large partie de l'opinion, avec le déplacement des espérances du Ciel vers la terre. La philosophie des Lumières a grandement favorisé cette mutation par sa critique du christianisme, notamment tel qu'il se présentait dans sa version post-tridentine, fortement influencée par le jansénisme. Son esprit se caractérisait par un grand pessimisme à l'égard de la nature humaine, marquée par les conséquences du péché originel, et par un profond désintérêt pour la vie terrestre, irrémédiablement vouée à l'échec. Les chrétiens devaient placer leurs espoirs dans le seul bien qui vaille la peine, le Salut éternel, et se préoccuper avant tout de l'instant décisif du passage. L'essentiel était cette « *bonne mort* » qu'enseignaient les pieux ouvrages connus sous le nom d'« *artes moriendi* ».

Depuis longtemps déjà, Descartes d'un côté, Locke et Newton de l'autre, ont fourbi les armes des grands adversaires de la religion en rendant sa dignité à la raison humaine, face à la Révélation. S'engouffrant dans la brèche, Montesquieu a désacralisé le christianisme, en insinuant que toutes les religions se ressemblent, préparant les voies à Voltaire, Diderot et à l'*Encyclopédie* grande machine de guerre contre les religions révélées. D'autres philosophes, de moindre renommée, ont bâti une doctrine matérialiste, tels La Mettrie et Helvetius.

La génération des grands philosophes s'éteint au début du règne de Louis XVI, Voltaire et Rousseau disparaissant en 1778 et Diderot survivant de peu à la première représentation du *Mariage de Figaro*, en 1784. Quant à La Mettrie et Helvetius, ils sont morts depuis longtemps, le premier en 1751, le second en 1771. Mais l'esprit négateur de la religion s'est répandu dans la société. D'ailleurs des philosophes matérialistes vivent toujours, comme le baron d'Holbach qui ne mourra qu'en 1789 ou l'ancien abbé Raynal qui vivra jusqu'en 1796. L'athéisme s'étale désormais sans complexe dans les œuvres de Carra, Rouillé d'Orfeuil, Jean-Baptiste Cloots ou Sylvain Maréchal qui se proclame le Lucrèce des temps modernes.

Cependant, la philosophie n'a pas eu qu'un aspect destructeur. Elle a contribué à la naissance et à l'essor d'une nouvelle religion, celle du progrès. Il existe en effet, parmi les idées nouvelles, un puissant courant d'optimisme humanitaire. La plupart des philosophes, en rejetant le péché originel, affirment, comme Rousseau, que les hommes ne sont pas mauvais par nature, mais seulement corrompus par la misère et la société. Le jour où une réforme sociale et politique arriverait à supprimer les germes de la corruption, il ne serait pas difficile de faire agir l'amour que porte en lui chaque individu pour réaliser une grande fraternité humaine. Faisant peu de cas, ou même ignorant tout à fait, le penchant au mal qui existe dans tout homme, inconsciente de la contradiction qui consiste à exalter la libération sans frein de l'individu, tout en se donnant comme but le bonheur de la société, la philosophie cherche passionnément à instaurer une morale. Au temps de Louis XVI, des centaines de traités, ou d'œuvres d'imagination, plus ou moins influencés par ce «professeur de morale» qu'était Diderot, s'efforcent d'inculquer aux hommes le goût de la vertu, et d'abord de la vertu sociale. La mode est aux recueils de contes moraux à usage bourgeois ou populaire, comme ceux de Marmontel, Baculard d'Arnaud ou Bérenger.

L'engouement pour la morale se montre aussi dans ces innombrables fêtes des rosières ou de la vertu féminine, que l'on crée ou remet en honneur, dans ces couronnements de bonnes mères ou de vieillards exemplaires, qui ressemblent à autant de tableaux de Greuze, dans la multiplication des sociétés de bienfaisance. On lit dans le *Journal de Paris*, en 1783, que la société « *La Candeur* » a donné une fête superbe en l'honneur d'une femme qui, ayant déjà 18 enfants et enceinte d'un 19e , en a adopté un autre devant une foule émue aux larmes [36]. Dans l'hiver de 1784, le même journal ouvre une souscription pour venir en aide aux pauvres accablés par le froid particulièrement rigoureux. Marie-Antoinette donne l'exemple. La *Correspondance littéraire* nous apprend que : « *La reine vient d'envoyer cinq cents louis, pris sur les fonds de sa cassette, à M. le lieutenant de police, pour les joindre aux secours qu'il avait déjà fait distribuer à Paris par ordre du roi. Elle a fait envoyer, quelques jours après, la même somme à M. l'archevêque, pour être distribuée par les curés des environs aux habitants de la campagne. Cet exemple n'a pas manqué d'exciter la bienfaisance de plusieurs sociétés et d'un grand nombre de citoyens (...)* » [37].

La morale semble avoir envahi tous les domaines de la vie quotidienne, y compris la mode. Le perruquier Léonard n'a-t-il pas découvert « *une manière d'arranger les racines des cheveux des dames qui donnent l'effet le plus moral à la physionomie* » ? [38] Dans les années 50, l'abbé Coyer avait peint les Français sous le pseudonyme des Frivolites. Trente ans plus tard ils semblent devenus souvent de graves adorateurs de la vertu [39], même si cette dernière n'est parfois qu'une façade comme le montre l'évident plaisir qu'ont pris les spectateurs aux évocations licencieuses du *Mariage de Figaro*.

Pour la plupart des hommes et des femmes des Lumières, la morale reste indissociable de la religion. On ferait, en effet, un gros contresens à ne considérer le XVIIIe siècle que sous l'angle de l'incroyance et des attaques contre le christianisme. Ce dernier a produit une apologétique extrêmement féconde. Selon Daniel Mornet, environ 900 ouvrages auraient été publiés en France, entre 1715 et 1789, pour défendre la religion. Leur nombre s'accroît à mesure que l'offensive des philosophes se fait plus vigoureuse. S'il n'y a point, parmi les apologétistes, d'hommes de la trempe de Voltaire ou de Rousseau, il y a quand même des auteurs de talent et des esprits remarquables comme Fréron qui meurt en 1776, Madame de Genlis, ou le protestant Necker.

Il n'est pas facile de se faire une idée exacte des conséquences du débat entre les défenseurs et les contempteurs de la religion sur les croyances des Français. Cependant, il semble incontestable que l'intérêt pour les choses de la foi ait décru au cours du XVIIIe siècle, tout au moins parmi les « *élites* ». Jean Quéniart a montré la régression du livre religieux dans les inventaires après décès des villes de l'Ouest. La chute est spectaculaire chez les nobles et les robins, notable aussi dans la bourgeoisie à talents, la marchandise et l'artisanat. Au contraire, 70% des livres possédés par les prêtres, dans les années 1787-1788, sont encore des ouvrages religieux, de sorte qu'on peut parler d'une véritable coupure entre les cultures profane et ecclésiastique [40].

D'autres indices sont donnés par les testaments. Les études qui les ont pris comme source de connaissance des mentalités religieuses ont été multipliées depuis la thèse magistrale de Michel Vovelle. Comme en Provence, on constate que beaucoup de choses évoluent à Paris, en Anjou ou en Touraine, dans les années 1750-

1770 : notamment on assiste à une débâcle des demandes de messe pour le repos de l'âme des défunts, du recours aux intercesseurs célestes, la Vierge en premier lieu [41]. Sans doute, il est des régions qui ne suivent pas le modèle provençal ou parisien : l'Alsace où l'équipe de Bernard Vogler a noté un grand retard dans l'évolution, le Béarn ou la Bretagne qui, loin de négliger les clauses religieuses dans les testaments, les accumulent, de plus en plus fidèles aux prescriptions tridentines [42]. D'ailleurs, on doit tenir compte des mutations progressives dans la conception même de l'acte testamentaire : de moins en moins préparation spirituelle du pécheur à la veille de comparaître devant Dieu, de plus en plus apurement des comptes financiers, règlement de la succession. Mais cela même n'est-il pas significatif ?

Il reste à interpréter les signes d'une évolution « *à la provençale* », sans doute majoritaire en France : indices d'une véritable déchristianisation ou d'une adhésion à une nouvelle forme de christianisme ? Dans *Les origines de l'esprit bourgeois en France*, Bernard Grœthuysen a souligné l'émergence, dans la seconde moitié du XVIIIe siècle, d'un catholicisme des Lumières qui se caractérise par des changements quantitatifs et qualitatifs à la fois, par rapport à la tradition post-tridentine. D'abord, une réduction du *volume* des croyances, si l'on ose dire : refus des miracles, des mystères, déclin du culte des saints, de la croyance à l'enfer et surtout au purgatoire. Ensuite, la substitution au Dieu providentiel réglant le cours de chaque vie jusque dans son détail, de l'Etre Suprême, observateur lointain et bienveillant des destinées humaines. Un Dieu d'amour, sensible au cœur, révélé par le spectacle de la nature, envers lequel le fidèle éprouve une admiration et une reconnaissance émues, au lieu du Dieu vengeur devant lequel on tremble à la perspective de la sévérité du Jugement dernier.

De fait, la plupart des sujets de Louis XVI restent des croyants, mais leur foi est souvent plus aimable que celle de leurs aïeux. Des théologiens, des prêtres inspirés de l'esprit moliniste, insistent sur la miséricorde de Dieu et les larges perspectives du salut. Ils réprouvent ces descriptions horribles de l'agonie, de la pourriture du tombeau et des peines de l'enfer dont la tradition jansénisante avait abusé [43]. L'un d'entre eux, de Lasne d'Aiguebelle, écrit en 1778 dans un livre au titre significatif, *La religion du cœur* : « *Faut-il que la reconnaissance toute seule, et l'amour ne fassent que des impressions passagères sur notre âme ? Faut-il donc sans cesse la fixer par la crainte ? Oh ! honte, oh ! douleur ! Est-il donc possible qu'un Dieu qui pardonne et qui aime ne nous touche pas aussi sensiblement qu'un Dieu qui foudroie et punit ?* » L'influence de la pensée des jésuites se traduit dans de nombreux ouvrages dont le titre vaut également profession de foi : ainsi *Le Ciel ouvert à tous les Hommes* (1768) ou *Le Ciel ouvert à tout l'Univers* (1782) [44].

Une certaine infiltration de l'esprit philosophique est aussi responsable de l'évolution du catholicisme des Lumières. Dans la forme d'abord. Le vocabulaire emprunte au déisme. Même chez les auteurs les plus pieux, on parle souvent de l'Etre suprême, de l'Architecte de l'Univers, de la Providence, du Tout-Puissant. Chateaubriand écrit dans ses *Mémoires d'outre-tombe* : « *Le prêtre en chaire évitait le nom de Jésus-Christ et ne parlait que du ' Législateur des chrétiens '* » [45]. Plus profondément, un certain panthéisme s'immisce dans le cérémonial catholique par le biais de l'exaltation de la nature, chef-d'œuvre de la Création. La manifestation religieuse la plus populaire, la Fête-Dieu, n'est-elle pas aussi la fête des fleurs et de la verdure au seuil de l'été ? La pensée philosophique ne laisse pas d'influencer les croyances des catholiques. Celle de Rousseau surtout, telle que l'exprime la fameuse « *profession de foi du vicaire savoyard* » au livre IV d'*Emile*. Jean-Jacques y fait le plus vif éloge de Jésus et de l'Evangile (« ...*si la vie et la mort de Socrate sont d'un sage, la vie et la mort de Jésus sont d'un Dieu* »). Mais sa religion naturelle n'a aucun besoin de la Révélation. Elle se distingue donc radicalement de la tradition juive et chrétienne.

Or, une foule d'ouvrages d'esprit religieux popularisent les idées de Rousseau. Un des plus influents est sans doute le roman à succès de Bernardin de Saint-Pierre, *Paul et Virginie*. L'Evangile y est salué comme « *le meilleur des livres qui ne prêche que l'égalité, l'amitié, l'humanité et la concorde* ». La religion de l'auteur, qui s'affirme chrétienne, est un mélange de providentialisme naïf, de moralisme à la Greuze et de principes de Rousseau. La foi que l'on enseigne aux deux enfants est toute d'amour et l'on a banni de la religion tout ce qui pouvait assombrir leur joie de vivre : « (...) *jamais les leçons d'une triste morale ne les avoient remplis d'ennui. Ils ne savoient pas qu'il ne faut pas dérober, tout chez eux étant en commun ; ni être intempérant, ayant à discrétion des mets simples ; ni menteur, n'ayant aucune vérité à dissimuler. On ne les avoit jamais effrayés en leur disant que Dieu réserve des punitions terribles aux enfants ingrats (...). On ne leur avoit appris de la religion que ce qui la fait aimer (...)* » [46]. Le roman a été publié en 1787, mais l'année du *Mariage de Figaro*, Bernardin de Saint-Pierre avait déjà présenté sa version rose et sucrée du christianisme dans ses *Etudes de la Nature*.

Parallèlement, les Lumières ont mis à la mode un nouveau type d'ecclésiastique, le bon curé de campagne, tolérant, indulgent pour les fautes des autres, vertueux pour lui-même, par-dessus tout bienfaisant, à la fois professeur et promoteur de cette morale socialisée tant à la mode [47]. Ce caractère, qui doit beaucoup au préjugé favorable aux campagnes et aux classes moyennes (à l'opposé se profile le sombre portrait du haut prélat cumulant en sa personne les vices de l'aristocrate et ceux du citadin), a été immortalisé en la personne de l'abbé Pinard, curé de Nitri, dont Rétif de La Bretonne rapporte la morale souriante dans *La Vie de mon père* (1778). Mais on en trouve trace jusque dans une gauloiserie qui circulait à Paris au printemps de 1784, *Le bon curé Jeannot* :

> « *Dieu fasse paix au bon curé Jeannot,*
> *Qui de son temps vécut comme un saint homme,*
> *Paillard au lit, à l'église dévot,*
> *Il ne connut ni Genève ni Rome ;*
> *Voilà quel fut le bon curé Jeannot. (…)*

> *Je le voyois souvent dans son village*
> *En gros sabots, en habit retroussé*
> *Des flots émus prévenir le ravage,*
> *Faire une digue, élever un fossé,*
> *Courber en voûte une vigne naissante,*
> *Prêter aux champs une onde nourrissante, (…)*

> *Et le dimanche, après avoir dansé,*
> *Soigner ses fleurs d'une main caressante ; (…)*

> *Dans ses sermons pleins de simplicité,*
> *Point ne comptoit de fables effrayantes,*
> *Point ne parloit de chaudières bouillantes*
> *Où brûleront pendant l'éternité,*
> *Tous les mortels de races mécréantes,*
> *Pour n'avoir pas dit* Benedicite (…) » [48].

« *Le catholique de la fin du siècle*, écrit Bernard Grœthuysen, *ne croira pas seulement autre chose, et autrement que ses ancêtres, il sera lui-même devenu autre ; c'est un homme nouveau, qui aime parfois se parer d'un titre ancien* » [49]. Il y a du vrai dans cette affirmation, mais elle est excessive, fausse même pour bien des provinces rurales où la masse des catholiques restent profondément imprégnés par l'esprit tridentin. Ainsi les paysans des bocages de l'Ouest soumis aux enseignements de la plus pure orthodoxie, si du moins leurs pasteurs étaient tous de la trempe du père Marchais, curé de La Chapelle-du-Genêt en Anjou, dont François Lebrun a naguère édité les sermons tonitruants sur « *les vanités de ce monde* », la « *profanation des dimanches et des fêtes* » par les réjouissances païennes, l'avalanche de malheurs et de fléaux envoyée par Dieu en « *légitime punition* (des) *iniquités* » des hommes [50].

Il est impossible de dire quelle proportion des Français continuait à vivre la tête courbée sous les menaces de la religion post-tridentine et combien s'étaient mis à espérer dans le sillage du christianisme des Lumières. Pour ces derniers, quel qu'en soit le nombre, la réconciliation de la religion et du bonheur terrestre a sans doute contribué, comme pour d'autres la philosophie, à fortifier leur optimisme et augmenter leur joie de vivre.

Ces heureuses dispositions se nourrissent aussi de la croyance au progrès scientifique, élevé pour beaucoup à la hauteur d'un dogme. Au sens providentiel de l'histoire jalonnée par la Création, la chute, la Rédemption, tel que le concevait Bossuet, se substitue la notion d'un progrès indéfini de l'humanité grâce aux sciences et aux techniques. « *La masse totale du genre humain*, écrit Turgot, *par des alternatives de calme et d'agitation, de biens et de maux, marche toujours quoique à pas lents, à une perfection plus grande* » [51].

Comment les contemporains n'auraient-ils pas été impressionnés par les découvertes spectaculaires de la science ? Dans plusieurs domaines, les savants français sont en première ligne. Ainsi en chimie ou dans les sciences naturelles : Lavoisier, qui a découvert en 1777 les composants de l'air et démontré leur rôle dans la combustion et la respiration, fait l'analyse et la synthèse de l'eau en 1783. La même année, il publie son *Traité de chimie* qui soulève l'admiration de toute l'Europe. Buffon poursuit, avec ses collaborateurs, la publication de sa gigantesque *Histoire naturelle* dont les 36 volumes s'échelonnent de 1749 à 1789. Dans bien d'autres secteurs, les Lumières françaises brillent d'un éclat particulier : l'économie politique, la médecine par exemple.

La recherche scientifique bénéficie de l'intérêt et de l'appui de l'Etat sous forme de pensions, gratifications, honneurs divers : ainsi la noblesse accordée à tel ou tel « *talent* » reconnu. La protection royale passe notamment par le canal de l'Académie des Sciences et de l'Académie de Médecine. La première est ancienne puisque créée en 1666, mais elle se diversifie au temps de Louis XVI : l'établissement, en 1785, de « *classes* » de physique générale, d'histoire naturelle, de minéralogie, montre l'autonomie que sont en train d'acquérir ces sciences nouvelles. L'Académie est une institution prestigieuse qui a Buffon pour trésorier et accueille les grands noms de la recherche, des chimistes Lavoisier ou Berthollet à l'astronome Lalande en passant par le mathématicien Lagrange ou le cartographe Cassini.

La Société Royale de Médecine est, par contre, toute récente puisqu'elle a été créée par un arrêt du Conseil du 29 avril 1776. Animée par une équipe de 30 grands médecins autour du secrétaire perpétuel Vicq d'Azyr, elle couvre la France et même l'Europe d'un réseau d'associés et de correspondants pour échanger des informations sur l'état de santé dans les divers pays et provinces et des points de vue sur les maladies, les épidémies, les traitements. L'Académie de Médecine fait ainsi preuve d'un remarquable esprit scientifique. Elle témoigne de la volonté nouvelle chez beaucoup de médecins, encore si désarmés devant la maladie, d'appréhender les problèmes de santé avec un grand sérieux et une large ouverture d'esprit [52].

Le public cultivé fait preuve d'un extraordinaire engouement pour tout ce qui touche à la science. Grands seigneurs ou nobles plus modestes ont souvent à cœur d'enrichir leur bibliothèque de savants traités, de constituer chez eux des «cabinets de physique» ou d'histoire naturelle. A Paris, s'ouvrent des établissements d'enseignement supérieur concurrents de la vieille Sorbonne qui font une large place aux sciences nouvelles. Court de Gébelin fonde en 1780 la Société Apollonienne qui devient l'année suivante le Musée. C'est alors que Pilâtre de Rozier crée, sous la protection de *Monsieur*, une société rivale, le Musée de Paris. En 1785, après la mort des deux fondateurs, ces institutions fusionnent pour devenir le Lycée. Un public choisi de grands seigneurs, riches financiers, bons bourgeois, suit avec curiosité et souvent passion, les cours des grands philosophes de l'époque (Marmontel, Condorcet, La Harpe, Garat...), les leçons de littérature, d'histoire, de langues, de chimie, de physique, d'anatomie etc. Grande nouveauté, les femmes sont parfois admises aux séances : ainsi, en mars 1784, au Musée de Court de Gébelin, rue Dauphine [53].

En dehors de ces institutions courues par la haute société, des cours publics moins huppés se multiplient dans la capitale. Le *Journal de Paris* en annonce treize pour l'année 1784, sans compter ceux de médecine et d'accouchements. En province, certaines villes, comme Amiens, Bordeaux, Toulouse, ont aussi leur Musée, quelquefois créé pour faire pièce aux vieilles académies d'esprit plus conservateur [54].

L'intérêt du grand public va surtout aux expériences les plus spectaculaires. Le meilleur exemple est celui de l'aérostat. C'est le 4 juin 1783 que deux fabricants de papier du Vivarais, Joseph et Etienne Montgolfier, ont fait monter dans le ciel d'Annonay le premier ballon en taffetas grâce aux gaz dégagés par la combustion de laine et de paille humide. Ce fut un événement qui tourna les têtes du Tout-Paris : « *Jamais bulle de savon n'occupa plus sérieusement une troupe d'enfants que le* globe aérostatique *de MM. Montgolfier n'occupe, depuis un mois, la ville et la cour*, affirme en août la *Correspondance littéraire ; dans tous nos cercles, dans tous nos soupers, aux toilettes de nos jolies femmes, comme dans nos lycées académiques, il n'est plus question que d'expériences, d'air atmosphérique, de gaz inflammable, de chars volants, de voyages aériens.* »

Le 27 août, nouvelle expérience, dans la capitale cette fois, au Champ de Mars, devant plus de 6 000 spectateurs qui ont dû payer leur place. Le ballon a été amélioré : le taffetas enduit de gomme pour le rendre imperméable, l'air chaud remplacé par l'hydrogène que le physicien Charles a imaginé de produire en faisant dissoudre de la limaille de fer dans de « *l'acide vitriolique* ». L'aérostat s'est abattu dans un champ de Gonesse, à la grande peur des villageois. Trois jours après Paris était « *inondé de gravures représentant et le départ du globe et son arrivée* » [55].

En septembre, une ascension est organisée à Versailles devant le roi et la reine. Cette fois on a placé dans la nacelle de la montgolfière un mouton, un canard et un coq. Le 21 novembre, pour la première fois, deux hommes ont l'audace de tenter l'expérience : le physicien Pilâtre de Rozier et le marquis d'Arlandes qui survolent Paris de bout en bout. Désormais les progrès s'accélèrent et les ascensions se multiplient, en province comme dans la capitale. En 1785, Blanchard traverse la Manche de Douvres à Calais tandis que Pilâtre de Rozier se tue en faisant pareille tentative. En homme des Lumières, curieux de toutes les découvertes, Beaumarchais s'est, lui aussi, intéressé aux ballons. Il travailla à la construction d'une machine à voler avec un certain Scott qui avait conçu un « *aérostat dirigeable* » que notre auteur avait proposé de baptiser « *aérambulle* » [56].

L'ascension d'objets plus lourds que l'air paraît tenir du prodige et beaucoup placent dans la science une confiance toute religieuse. Il se trouve des naïfs pour gober les fables les plus invraisemblables, comme celle de ce duc qui aurait fait dresser deux aigles qu'il se serait proposé d'atteler à un ballon afin de mieux le diriger [57]. Les semi-philosophes, écrit Rivarol, « *se figurent qu'à chaque découverte que fait la physique, la religion perd un miracle ; et l'expérience des globes fait échec dans leur esprit à l'ascension de Jésus-Christ et à l'assomption de la Vierge* » [58].

Au moment où *Le Mariage de Figaro* est représenté en public pour la première fois, les Français ont une autre passion en tête que les ballons, scientifique elle aussi en apparence : le mesmérisme. On lit en 1784 dans les *Mémoires* dits de Bachaumont : « *Hommes, femmes, enfants, tout s'en mêle, tout magnétise* » et la *Correspondance littéraire* affirme en écho : « *Jamais l'attention publique ne s'était fixée encore avec autant de complaisance sur cette admirable découverte* » [59].

C'est en 1778 que le médecin allemand Franz Anton Mesmer s'est installé à Paris. Il avait soutenu à Vienne une thèse de doctorat sur l'influence des planètes et dirigé une clinique où il prétendait guérir les maladies en manipulant ce qu'il appelait le « *fluide magnétique* ». Mais, mal en cour auprès de la faculté de médecine de la capitale des Habsbourg, il était venu en France chercher la consécration. Les Parisiens, toujours à l'affût des nouveautés, s'étaient emparés de l'homme et de sa théorie. On en discutait dans les académies, les salons, les cafés. Patronné par la reine, mais en butte à l'hostilité de beaucoup d'autorités scientifiques, raillé par la chanson et la caricature, Mesmer fut adulé par les uns, détesté par les autres.

En fait, le mesmérisme n'est pas une doctrine très originale pour l'époque. Il prétend que l'univers baigne dans un fluide qui aurait les propriétés d'un aimant et serait la source de divers phénomènes comme la chaleur, la lumière, l'électricité, le magnétisme. La vogue de Mesmer vient surtout de sa prétention d'appliquer sa « *découverte* » à la médecine. La maladie résulterait d'un obstacle s'opposant à la circulation du fluide à travers le corps qui constituerait, lui-même, une sorte d'aimant pourvu de nombreux pôles. Pour rétablir la circulation du fluide, et donc la santé, il suffirait de masser les pôles, de les « *mesmériser* ». Plusieurs techniques ont été utilisées par le docteur viennois dont la plus connue est celle du baquet rempli de limaille de fer où sont disposés en rayons des flacons d'eau magnétisée. Le baquet est supposé emmagasiner le fluide et le transmettre aux patients qui forment cercle autour de lui, grâce à des verges de fer que l'on applique sur les parties malades. Le fluide circule en outre de l'un à l'autre grâce à la « *chaîne mesmérique* » que forment les patients reliés par une corde et se tenant par le pouce ou l'index.

Mesmer n'a pas eu plus de chance auprès des savants français qu'auprès de ceux de l'Autriche. Dès 1778, il avait été invité à exposer sa théorie à l'Académie des Sciences mais celle-ci l'ignora finalement. Il sollicita ensuite la reconnaissance officielle de la Société Royale de Médecine mais se fâcha avec les enquêteurs qu'elle avait désignés. Alors il se tourna vers la vieille faculté de médecine, réussit à convaincre un de ses régents, Charles Deslon, premier médecin du comte d'Artois, mais la faculté destitua Deslon. Cependant, en 1784, une commission royale, comprenant de grands noms de la science comme Bailly, Lavoisier, Franklin, Guillotin, fut chargée d'établir définitivement la vérité. Elle se livra à des expériences minutieuses et en conclut que les effets du mesmérisme étaient purement psychologiques. Ce fut un coup fatal à la popularité de Mesmer qui, dès lors, ne cessa de décliner [60].

On pourrait être étonné que les Français se soient si fort entichés d'un charlatan, si l'on ne savait combien était encore incertaine, au XVIIIe siècle, la frontière séparant la fausse science de la vraie. Des savants fort sérieux avaient décrit des fluides ressemblant à celui de Mesmer. Ainsi Newton, parlant dans ses *Principia* (1713) d'un «*milieu beaucoup plus subtil que l'air qui pénètre les corps les plus denses*» [61]. Le baquet de Mesmer évoque d'autres appareils, véritablement scientifiques, comme la bouteille de Leyde, sorte de condensateur électrique, très populaire à l'époque. La gravitation universelle ou les effets de la science, comme le paratonnerre, l'élévation de l'aérostat dans les airs, paraissent tout aussi miraculeux que les «*guérisons*» de Mesmer. On est prêt à croire n'importe quelle expérience, jusqu'à cette traversée de la Seine «*à pied sec sur la surface des eaux*» que se propose de faire, en janvier 1784, le prétendu inventeur d'une «*paire de sabots élastiques*» [62].

En fait, l'univers mental des hommes et des femmes des Lumières a été déstabilisé par l'ensemble des progrès scientifiques. C'est ainsi que la théorie des quatre éléments a reçu un coup fatal par la découverte que l'un de ces éléments, l'air, était composé lui-même de gaz invisibles. Puis on a appris que l'eau avait des ressemblances avec l'air puisqu'elle aussi était un mélange de substances parmi lesquelles on retrouve l'oxygène. Cela permet au *Journal de Paris* une remarque, amusante dans son approximation mais qui traduit l'importance des révisions mentales à opérer : «*Il a dû en coûter pour convenir que l'eau ne fût pas de l'eau, mais de l'air... Nous avons un élément de moins*» [63].

Pour mettre un peu d'ordre dans l'univers ainsi bouleversé, on propose une foule de systèmes cosmogoniques plus ou moins extravagants. Tout cela déroute le grand public, prêt à s'emballer pour n'importe quelle hypothèse pseudo-scientifique prétendant rendre compte des merveilles de la nature.

Si l'on veut comprendre l'engouement pour le mesmérisme, il faut en outre rappeler que le XVIIIe siècle n'est pas seulement celui du rationalisme triomphant, mais aussi celui du merveilleux et du mysticisme. Ce n'est pas chose nouvelle au temps de Louis XVI comme le prouvent les rassemblements des convulsionnaires sur la tombe du diacre Pâris aux environs de 1730 ou le succès, plus ou moins suspect, des automates de Vaucanson. Mais les expériences qui se multiplient à la fin du siècle rendent de plus en plus incertaine la frontière entre le domaine de la science et celui du surnaturel. Décrivant avec émerveillement le «*Joueur d'échecs*» et la machine parlante de Kempelen, alors exposés à Paris, Meister écrit, en septembre 1783 : «*La physique, la chimie et la mécanique ont produit de nos jours plus de miracles que le fanatisme et la superstition n'en avaient fait croire dans des siècles d'ignorance et de barbarie* » [64].

On assiste en fait à un progrès du mysticisme, assorti d'un regain de vogue des sciences occultes. Tout se passe comme si une saturation de rationalisme entraînait en retour une fuite vers le monde du mystère et des forces cachées, tendance qui s'épanouira avec le romantisme. De nombreux alchimistes se produisent dans la capitale et y ont du succès. Après le comte de Saint-Germain qui a dû s'exiler en 1760 et meurt en 1784, mais dont les colporteurs diffusent toujours les gravures, le plus célèbre est Joseph Balsamo, le prétendu comte de Cagliostro. Un correspondant parisien du *Mercure* signale, en juillet 1784, qu'une multitude de « *philosophes hermétiques, cabalistiques, théosophes propagent avec fanatisme toutes les anciennes absurdités de la théologie, de la divination, de l'astrologie, etc.* ». Ruer possède la pierre philosophale et Léon le Juif fait des miracles avec des miroirs. D'autres évoluent aux confins de la religion comme le prophète de la rue des Moineaux, le guérisseur de la rue des Ciseaux. Benoît-Joseph Labre lui-même, le saint des Lumières, n'est pas seulement l'apôtre de la pauvreté. Il se comporte comme un guérisseur jusqu'à sa mort en 1783.

Beaucoup d'intellectuels sont attirés par les philosophes spiritualistes qui avoisinent parfois l'occultisme. Claude de Saint-Martin, Jean-Baptiste Willermoz, Lavater le créateur de la physiognomonie, contribuent à répandre l'illuminisme. Tous trois pratiquent le magnétisme et sont cités dans les œuvres mesméristes. A beaucoup, la théorie du docteur viennois apparaît d'ailleurs comme une science spiritualiste. Certains vont jusqu'à en faire une version scientifique du jansénisme : la tombe de Pâris aurait été une sorte de baquet mesmérien...

Le mouvement accéléré des découvertes ou des pseudo-découvertes, la multiplication des expériences plus étonnantes les unes que les autres, grisent donc quelque peu les Français. De moins en moins persuadés de la pertinence des anciennes explications du monde auxquelles la philosophie a porté de rudes coups, ils mettent volontiers leurs espoirs dans le progrès matériel et l'avenir terrestre. Cependant, si tous aspirent au bonheur, seul un petit nombre de favorisés de la naissance ou de la fortune parvient à la jouissance. Pour la masse des compatriotes de Beaumarchais, le retournement de la conjoncture économique qui a correspondu, à peu de chose près, à l'avènement de Louis XVI, renvoie à une époque indéterminée l'amélioration de leur vie quotidienne.

LA CRISE ÉCONOMIQUE
ET SOCIALE

Les marbres étincelants du Théâtre-Français, les rivières de diamants des spectatrices, le plaisir qui rebondit de la scène au parterre, voilà bien la France au temps de Beaumarchais. Mais ce n'est pas toute la France. Il en est une autre, moins voyante, moins bruyante, mais infiniment plus répandue. C'est celle des « *nécessiteux* » de Paris et des grandes villes, celle des « *galetas* » où « *une famille entière occupe une seule chambre (...) où les grabats sont sans rideaux, où les ustensiles de cuisine roulent avec les vases de nuit* » [1]. C'est aussi la France des mas, des borderies et des chaumières, du lard, du pain de seigle et des châtaignes, le royaume des métayers, des haricotiers, des manouvriers et autres laboureurs à bras. C'est encore la France des conditions « *mitoyennes* », celle de l'atelier, de la boutique et de l'échoppe, des maîtres de métier et des compagnons, des commis et des saute-ruisseau. Ce monde-là, qui forme la masse des régnicoles, n'a jamais entendu parler du *Mariage de Figaro* et Beaumarchais lui accorde peu les honneurs de la scène. Encore, lors-

141

qu'il le fait, c'est pour susciter un rire facile devant les incongruités d'Antonio, le baragouin patoisant de Gripe-Soleil, le bégaiement de Brid'Oison ou la bêtise emphatique de Double-Main, ou bien pour évoquer une campagne de convention grâce à ces «*troupes de paysannes et de paysans*» sorties tout droit des pastorales.

Or, ces Français-là sont souvent mécontents des conditions matérielles de leur vie quotidienne. C'est que la prospérité de la France n'est pas sans ombre. L'économie souffre à la fois de maux structurels et conjoncturels. Les premiers découlent de l'inadaptation du système ancien de production, que l'on peut appeler «*colbertiste*» par commodité, aux nécessités de la croissance rapide. Les autres viennent de l'essoufflement de cette croissance au temps de Louis XVI, qui aggrave les effets des crises classiques de sous-production agricole.

Les faiblesses de l'économie provoquent une double insatisfaction. D'abord celle du peuple, déçu de ne pas bénéficier suffisamment à son gré des retombées de la prospérité, voire, pour les plus pauvres, menacé dans sa survie par le retournement de la conjoncture. Mais la bourgeoisie elle-même est mécontente, à la fois du ralentissement de la croissance et des lourdeurs d'un système dont elle aspire à libérer les producteurs.

Les faiblesses de l'économie

Par contraste avec la tonalité générale du «*glorieux XVIIIᵉ siècle*» et surtout en opposition avec le bel élan des années 1760, l'époque de Louis XVI se caractérise par une certaine atonie. Le jeune roi a eu la malchance de voir son avènement coïncider à peu près avec le début d'une phase d'essoufflement de l'essor économique. Dans le grand commerce, dans bien des secteurs de l'industrie, l'impulsion est ralentie, mais c'est surtout dans le domaine agricole que s'individualise le temps des crises de la fin de l'Ancien Régime, notamment au palier qui se dessine dans la courbe séculaire de croissance des prix.

Naturellement le phénomène est plus ou moins marqué selon les produits et les régions. Dans le Midi méditerranéen, c'est seulement à une modération de la montée des prix agricoles que l'on assiste, tandis que dans l'Ouest et le Sud-Ouest la courbe décrit un véritable palier voire amorce une baisse, et que dans la moitié nord de la France se produit un net affaissement. Ce dernier modèle a pu faire parler du *« déclin de Louis XVI »*, mais pour l'ensemble du royaume on ne doit évoquer qu'un déclin relatif à la « *splendeur de Louis XV* ».

L'essoufflement de la croissance rend particulièrement sévères les crises appelées « *cycliques* » ou « *décennales* » par les historiens, celles qui provoquent ces « *chertés* » caractéristiques de l'économie antérieure au chemin de fer et à l'établissement d'un véritable marché national.

Le temps des crises

Le mécanisme de ces crises est bien connu. Des circonstances climatiques défavorables entraînent une sous-production céréalière, d'où le nom qu'on leur donne parfois de « *crises frumentaires* ». La diminution peut être d'un tiers, quelquefois de la moitié de la récolte brute par rapport aux bonnes années. La raréfaction du produit entraîne son enchérissement, particulièrement dramatique à l'époque de la soudure, lorsque les réserves de l'année précédente sont sur le point de s'épuiser. Les hausses cycliques font varier les prix de 50 à 100% et parfois davantage. L'amplitude n'est d'ailleurs pas la même pour toutes les céréales. Les prix du froment, la céréale des riches, varie moins que ceux du méteil et du seigle qui constituent la base de l'alimentation populaire, ou encore ceux du blé noir ou du maïs. Cela résulte des variations diverses de la productivité (celle du froment oscille assez peu autour de la moyenne de 5 à 6 pour 1, tandis que par exemple, le sarrasin rapporte certaines années 15 fois la semence alors que dans d'autres cas la récolte ne couvre même pas la mise), et surtout de l'élasticité considérable de la demande en céréales communes : en temps de crise, les mangeurs de pain blanc se rabattent sur le pain noir.

L'amplitude des prix varie aussi selon les lieux. Nous retrouvons à ce propos les trois « *tempéraments régionaux* » déjà évoqués. Dans les zones méditerranéennes, les fluctuations sont relativement modestes en raison de la variété des produits alimentaires fournis par la polyculture, des ressources en légumes et en fruits notamment, et aussi grâce aux possibilités d'importation, par la mer et le Rhône, des blés de la France du Nord, des Provinces-Unies, du Levant voire d'Amérique. Dans l'Ouest, le Sud-Ouest et bien des secteurs du Massif Central, les variations des prix, tout en étant plus importantes que sur les rivages de la Méditerranée, sont encore atténuées par l'existence d'autres ressources que le froment, le seigle ou le méteil : le maïs de l'Aquitaine, les productions légumières et fruitières du Val de Loire, le blé noir de Bretagne et du Limousin, la châtaigne dans cette dernière province, mais aussi dans le

Vivarais, les Cévennes, les parties les moins élevées de l'Auvergne. Dans toutes ces régions, généralement humides, l'élevage apporte un complément de ressources important. C'est donc, en définitive, dans la France du Nord que l'amplitude des prix est la plus grande car l'agriculture y est plus spécialisée dans les céréales traditionnelles et le bétail moins abondant.

En fait, il est rare que la « *cherté* » affecte l'ensemble du royaume. Au temps de Louis XVI, une seule crise a été quasi nationale, celle de 1788-1789. Auparavant, les généralités du Midi avaient été touchées en 1778 et 1782, celles du Nord et du Nord-Est en 1784, celles de l'Ouest en 1786.

Mais l'agriculture peut connaître bien d'autres difficultés que les crises frumentaires. D'abord en ce qui concerne l'élevage. Les bêtes comme les hommes sont touchées par tout déficit de la production céréalière. Les « *blés* » servent souvent de complément à leur alimentation. En outre, lorsque les grains sont insuffisants, c'est aussi la paille qui vient à manquer, donc la litière et le fumier. De temps à autre, la sécheresse ravage aussi les prairies. En 1785-1786 a sévi une des plus graves crises fourragères du XVIIIe siècle, qui a entraîné une grande morbidité du bétail par la famine ou les maladies. Quant à la viticulture, elle pâtit à la fois de récoltes trop bonnes ou trop faibles. Le prix du vin a diminué de moitié à la suite de la surproduction, de 1777 à 1781, et il resta à un niveau très bas jusqu'en 1785-1786. Ces années-là, le gel fit chuter la production et monter les prix à une allure vertigineuse.

On voit que Louis XVI n'a pas eu de chance avec le climat. Les premières années de son règne, jusque vers cette date de 1784 qui nous sert de référence habituelle, ont été trop bonnes (si l'on met à part les quelques crises régionales). Une production pléthorique a fait chuter les prix agricoles, surtout ceux du vin. Puis une série de crises se sont succédé : en 1785-1786 crise fourragère qui a touché beaucoup de généralités, crise viticole doublée d'une «cherté» céréalière dans l'Ouest, enfin en 1788-1789 nouvelle crise frumentaire, généralisée cette fois.

Toutes les catégories sociales impliquées dans les circuits agricoles ne souffrent pas également des effets des crises, nous l'avons déjà dit [2]. Ceux qui peuvent faire des réserves dans les bonnes années puis écouler leurs stocks au prix fort durant la «cherté» ont de quoi se frotter les mains : seigneurs, décimateurs et gros propriétaires, fermiers des dîmes et des seigneuries, grands fermiers «capitalistes». Mais pour l'exploitant parcellaire, la crise est catastrophique. De vendeur qu'il est en année normale, il devient acheteur et ceci en fin d'année récolte, c'est-à-dire au moment de la plus grande cherté. C'est alors qu'il rachète au prix fort les grains qu'ont prélevés sur sa propre récolte les grands propriétaires, les seigneurs et les décimateurs, par le biais de la rente foncière et seigneuriale. Quant aux salariés, ils souffrent d'un repli de l'offre de travail au moment où la demande augmente car le marché est encombré de petits exploitants qui cherchent à se procurer un supplément de ressources en louant leurs bras. Les plus mal lotis sont, de loin, les journaliers car les domestiques, engagés à l'année, bénéficient d'une relative sécurité de l'emploi et, mangeant à la table du maître, ils sont dispensés de restrictions trop grandes.

Les «chertés» agricoles retentissent sur le secteur industriel en provoquant une crise de sous-consommation. D'abord par la réduction du débouché rural qui, étant donné le nombre, constitue l'essentiel du marché, surtout pour les produits communs. Le débouché urbain se réduit ensuite par ricochet, en raison de la montée du chômage des salariés et du manque à gagner des maîtres. Le mécanisme de la crise industrielle est surtout visible dans le domaine du textile, le premier et le plus gravement touché. Ernest Labrousse a montré qu'il existait une «*contrariété tendancielle*» entre le prix des grains et la courbe de la production textile, c'est-à-dire que la fabrication des draps et des toiles s'effondre lors des hausses brutales des prix céréaliers [3]. Là encore, l'amplitude de la crise est plus ou moins affirmée selon les régions, la nature du textile et l'importance de la « *cherté*» céréalière.

Mais d'autres causes peuvent aussi déclencher des crises industrielles. Les guerres par exemple, qui renchérissent certaines matières premières : ainsi le coton au moment de la guerre d'Indépendance américaine. A la fin de l'Ancien Régime, le traité de commerce négocié en 1786 entre Vergennes et Rayneval d'une part, Eden de l'autre, a eu un effet ravageur sur l'industrie française. En abaissant considérablement les droits de douane à l'entrée des produits fabriqués anglais, notamment ceux du textile, il a provoqué leur afflux sur le marché national où ils concurrencèrent victorieusement les productions françaises grâce aux bas prix résultant de l'avance technologique de l'industrie outre-Manche. Par exemple, on voit péricliter la Manufacture de Cholet à partir de 1788. La crise se manifeste pour la première fois à l'occasion de la foire de Bordeaux, en octobre : plus de la moitié des mouchoirs les plus chers, destinés aux colonies françaises, espagnoles et aux Etats-Unis, restent invendus. Au début de l'année suivante, Huet de Vaudour, inspecteur des manufactures de la généralité de Tours affirme : «*Les négocians de Cholet se plaignent que leur commerce tombe, et ne trouve point de débouché, par rapport au traité de com-*

merce fait avec l'Angletterre (sic), qui leur fait le plus grand tort ».

Une crise industrielle se traduit tant par la baisse des profits des producteurs, qui s'accompagne d'une montée des faillites, que par le fléchissement des salaires et la chute de l'emploi. Le rapport de Huet de Vaudour explique bien le mécanisme : les négociants « *ont leurs magazins remplis desd. marchandises de toiles, toileries, sans pouvoir en obtenir la défaite. (...) Ils ont éprouvé des banqueroutes et des pertes depuis l'année d^{ère} pour plus de 600 000 L, qui ont contraint plusieurs maisons de Cholet de manquer elles mêmes et de cesser tout commerce ; ces malheureux événemens ont reflué sur les fabricans, qui par contrecoup ont aussy beaucoup perdu et nombre sont écrasés, ruinés ; les maisons qui ont manquées (sic) faisoient beaucoup fabriquer pour leur compte, soutenoient, alimentoient beaucoup d'ouvriers, ouvrières et leurs familles ; aujourd'huy voilà beaucoup de malheureux sans occuppation et sans resource (...) »* [4].

Les faiblesses de l'économie ne se limitent pas aux crises, au domaine de la conjoncture. Des défauts structurels sont dénoncés par les esprits éclairés. L'entreprise agricole, commerciale ou industrielle, semble mal adaptée aux exigences d'une production croissante parce qu'entravée par la coutume et par les réglementations « *colbertistes* ». Elle manque de cette liberté (encore un des maîtres-mots du siècle des Lumières...) qui lui permettrait d'augmenter sa productivité et de grandir. Les négociants, les entrepreneurs d'industrie, les grands propriétaires ressentent cette gêne avec une acuité d'autant plus forte que la prospérité du siècle a excité leur appétit.

Dans le domaine agricole, l'exercice du droit de propriété est contrarié par le système seigneurial. Rares en effet sont les alleux, les terres sans seigneur, même dans le Midi. En vertu de la « *directe universelle* » du roi, les officiers royaux se sont efforcés, au cours des Temps Modernes, de placer toutes les terres qui ne relevaient pas d'un seigneur, sous la dépendance du souverain. A la fin du XVIIIe siècle, les tenanciers ne comprennent plus du tout pourquoi, alors qu'ils sont les véritables propriétaires de leurs héritages qu'ils peuvent vendre, hypothéquer ou léguer, ils doivent payer au seigneur ces cens, ces champarts, ces rentes en grain, tout l'ensemble des redevances périodiques ou casuelles qui sont la marque de la propriété « *éminente* » du seigneur sur les terres de sa directe. Et ne parlons pas de la mainmorte, survivance du servage dans certains pays du Centre et de l'Est, avec ses obligations et ses interdits archaïques, qui semblent parfois plus lourds qu'on ne l'a dit [5].

On commence à mieux connaître le poids des droits seigneuriaux sur l'exploitation agricole [6]. Il varie beaucoup d'une province à l'autre et même d'un petit « *pays* », au sens traditionnel du terme, à son voisin. Mais pour l'ensemble du royaume, il est certain que la survivance du système seigneurial est ressentie comme une restriction inadmissible au droit des propriétaires, au moins autant que comme une charge insupportable pour les paysans exploitants sur lesquels le fardeau finit toujours par retomber.

L'entreprise agricole est aussi entravée par toute une série de coutumes et de droits communautaires qui limitent la liberté du propriétaire et de l'exploitant. Ainsi la contrainte de sole qui oblige dans les pays d'*openfield*, tous les paysans à pratiquer une même culture sur les champs situés dans telle portion du terroir paroissial, dans le cadre de l'assolement, ou encore la servitude que constituent l'interdiction de clore et la vaine pâture après la récolte.

L'entreprise industrielle est gênée par l'existence du système corporatif. Ainsi des règlements minutieux, qui diffèrent pour chaque métier et chaque ville, obligent les maîtres à se conformer aux techniques ancestrales de fabrication, limitent le nombre des compagnons qu'ils ont le droit d'embaucher, fixent les heures ouvrables. Seuls l'artisanat de village et les «*manufactures dispersées*» qui emploient une main-d'œuvre rurale, échappent au carcan des «*métiers*» ou «*jurandes*» qu'on commence à appeler «*corporations*» à la fin de l'Ancien Régime. La libre concurrence est encore entravée par les monopoles et privilèges accordés aux manufactures, caractéristiques du régime «*colbertiste*».

Le commerce est lui-même organisé, dans les villes, en communautés minutieusement hiérarchisées. Il supporte les multiples prélèvements de l'Etat, des seigneurs ou des municipalités : les aides (impôts sur la consommation et la circulation de certaines denrées, les boissons en particulier) les traites (espèces de douanes intérieures), les péages, octrois, droits de foires et marchés etc. L'Etat intervient aussi dans le commerce international. Il a la maîtrise des droits de douane et peut fonder des compagnies à monopole : ainsi sera créée en 1785 une nouvelle Compagnie des Indes, bénéficiant de l'exclusivité du commerce dans les pays situés à l'est du Cap de Bonne Espérance, sauf les îles de France et Bourbon. Le gouvernement réglemente surtout le commerce, extérieur et intérieur, des grains qui commande les prix sur les marchés urbains, eux-mêmes gages de la tranquillité et de l'ordre publics [7].

150

Les idées libérales s'élèvent avec de plus en plus de force et de succès contre le carcan réglementariste. Au temps de Louis XVI, le libéralisme économique n'est évidemment pas une nouveauté. Aux confins des XVIIe et XVIIIe siècles, lorsque triomphait son contraire, le mercantilisme, on le trouve déjà formulé dans l'œuvre de Locke et celle de Boisguilbert. Mais c'est à l'époque des Lumières, dans les années 1750, qu'il se constitue en un système cohérent, celui que professent les « *économistes* » et les « *physiocrates* ». Vincent de Gournay, un des « *économistes* » les plus brillants du milieu du siècle est mort en 1759, le docteur Quesnay, fondateur de l'« *Ecole* » physiocratique disparaît en 1774, mais beaucoup de leurs amis et disciples restent pleins de vigueur sous le règne de Louis XVI : le marquis de Mirabeau, père du constituant, l'abbé Baudeau, Dupont de Nemours, Le Mercier de La Rivière entre autres [8].

Les physiocrates se sont intéressés en priorité à l'agriculture. Elle seule dégagerait un surplus de richesse, une fois défalquée la dépense nécessaire à la production. L'industrie, le commerce, ne créeraient pas un tel « *produit net* », se contentant de modifier la forme de matières préexistantes ou d'échanger des productions. La physiocratie, on le voit, fait bon marché de la « *valeur ajoutée* » par le travail. Partant de ce postulat, les bons esprits de l'« *Ecole* » cherchent à établir le système agricole capable de donner le meilleur « *produit net* ». Ils prônent la multiplication des labours profonds, l'enrichissement du sol par des engrais, la clôture des parcelles. Tout cela coûte beaucoup d'argent. Il faut donc attirer à la terre les capitaux, rappeler aux champs les grands propriétaires et tout d'abord les nobles.

Les physiocrates considèrent en effet la classe des

«*propriétaires*» [9] comme la plus essentielle à l'économie du pays, puis vient la classe des cultivateurs. Tout le reste, notamment les manufacturiers, les commerçants, constitue la classe dite «*stérile*». Il faut aider les exploitants qui ont de gros moyens financiers, en accélérant le mouvement des concentrations de fermes et en poussant au remembrement. Il faut favoriser la propriété individuelle en supprimant les communaux, en libérant la terre des servitudes collectives, voire (mais c'est moins évident car bien des physiocrates sont des seigneurs) des droits seigneuriaux. A l'époque de Louis XVI, les physiocrates lancent des attaques continuelles contre la propriété collective des communaux, les droits d'usage, ou en faveur des clôtures. Ils plaident, en fait, pour que la liberté soit mise au service du droit de propriété. L'Etat lui-même profitera de la prospérité agricole en instaurant l'impôt unique sur la terre, le seul qui puisse être juste.

Cependant, il ne paraît pas suffisant aux physiocrates de libérer la propriété foncière de toute entrave coutumière ou légale. Il faut aussi rendre libre le commerce des produits agricoles notamment celui des grains, afin d'atteindre ce «*bon prix*» seul capable d'assurer l'aisance du peuple des campagnes, et par-delà de toute la société. Les physiocrates se démarquent tout à fait de la politique traditionnelle de l'Ancien Régime qui tendait à procurer aux habitants des villes le pain au plus bas prix, non seulement dans un but humanitaire, mais pour assurer la paix civile. Un prix des «*blés*» assez élevé encouragera les producteurs, les poussera à mettre en culture les jachères et toutes les «*terres vaines ou vagues*». Il donnera du travail à tous, augmentera les profits des propriétaires et des gros fermiers dont l'aisance retentira sur le marché des produits manufacturés. Il convient donc de supprimer toutes les entraves au commerce intérieur comme les péages, les traites, les aides, et de mettre fin à l'interdiction de constituer des stocks et à l'obligation de vendre sur les marchés. Ces mesures permettront d'égaliser les prix dans le temps en reportant aux années déficitaires les excédents des meilleures récoltes. Elles favoriseront aussi l'égalisation des prix dans l'espace en organisant un véritable marché national : les régions excédentaires, aux prix trop bas, enverront leurs grains dans les régions déficitaires aux prix trop élevés.

L'« *Ecole* » réclame également la liberté pour les entreprises industrielles. Sous le règne de Louis XVI, l'espèce de dédain originel des physiocrates envers la classe « *stérile* » n'a plus court. Bien au contraire, ils contribuent à la réhabilitation du marchand qui caractérise, nous le verrons, la fin du XVIIIe siècle. Ils demandent donc que l'on soulage les manufactures de l'impôt, que l'on fasse disparaître les monopoles, les privilèges, les jurandes, en un mot que l'on établisse les conditions de la libre concurrence. L'abbé Baudeau écrit dans le *Journal de l'agriculture* : « *savoir, vouloir et pouvoir élever un atelier, voilà le seul critère qui doit former la distinction entre les manufacturiers ou leurs ouvriers en chef et leurs simples manœuvres. Laisser faire, voilà toute la législation des manufactures* » [10]. Sans doute la concurrence fera-t-elle baisser les prix des objets fabriqués, mais cela permettra aux cultivateurs de réduire leur coût de production, de faire plus de profits et donc les encouragera à consommer, ce qui tournera finalement au bénéfice des entrepreneurs d'industrie et de leurs salariés.

Les physiocrates ne manquent pas d'ennemis, et parmi les plus grands noms de la philosophie, de la littérature ou des sciences. Buffon, Grimm, Suard et surtout Diderot, attaquèrent vigoureusement la

« *secte* » et le salon de Madame Necker devint le centre de ralliement de ses adversaires. Mais, d'un autre côté, les physiocrates sont soutenus par Voltaire et Condorcet, par bien des hommes politiques et administrateurs comme Turgot, Malesherbes, Trudaine de Montigny, nombre d'intendants, et par beaucoup de grands propriétaires, aristocrates ou bons bourgeois, qui, chacun à leur niveau, celui de l'Etat ou du domaine familial, s'efforcent de promouvoir les idées libérales et les techniques prônées par l'« *Ecole* ».

L'aspiration des grands producteurs à la liberté se fait plus vive avec le retournement de la conjoncture économique sous le règne de Louis XVI, quand s'amoindrissent les profits. Mais en même temps le petit peuple, victime des crises, souhaite que les autorités approvisionnent les marchés, abaissent le prix du pain ; il réclame donc un certain dirigisme. Le régime se trouve placé en porte-à-faux entre les effets contradictoires d'une double insatisfaction sociale.

Une double insatisfaction

Le spectre de la misère

Pour la majorité des Français, la grande préoccupation reste celle du pain quotidien. Les pauvres sont nombreux à la campagne. Florence Gauthier a fait une étude précise des rôles de taille de quinze villages de Picardie pour l'année 1780. Il en ressort que les 2/3 des habitants ont moins de 5 ha à exploiter. Le quart de la population est même constitué de véritables prolétaires qui n'ont à « *manœuvrer* » tout au plus qu'un lopin de moins d'un hectare, souvent un simple «*courtil*». Ceux-là se répartissent en trois groupes sensiblement équivalents : les salariés agricoles, surtout les journaliers, sept fois plus nombreux ici que les valets et domestiques de ferme mieux protégés contre le malheur des temps, nous l'avons vu, quelques artisans sans terre ni autre revenu que celui que procure leur métier de maçon, couvreur en chaume, cordonnier ou tailleur, enfin des individus désignés sur les rôles d'imposition comme «*pauvre*» ou «*assisté* » : vieillards, veuves, infirmes, mendiants. Dans ces villages de Picardie, on peut donc dire que la misère est une habitude pour un habitant sur quatre. Mais tous ceux qui n'ont à exploiter qu'un petit domaine d'un à cinq hectares ne réussissent à vivre, en année normale, qu'en pratiquant un travail d'appoint, soit comme manouvriers dans l'agriculture, soit dans le secteur artisanal, essentiellement la filature. En période de crise, alors qu'ils n'ont plus rien à vendre et deviennent acheteurs de produits alimentaires au plus haut prix, ils sont aussi victimes du chômage et viennent grossir le lot des pauvres habituels [11]. Obligés de s'endetter, ils risquent même de plonger définitivement dans la misère. L'*Encyclopédie* analyse bien ce processus fatal : «(...) *le manouvrier, l'artisan, toujours voisin de la pauvreté, s'il a une fois connu la détresse, ne s'en relève jamais : ses gains, dans les conjonctures les plus favorables, n'étant équivalents, au plus, qu'à sa subsistance journalière, le premier moment où il est obligé d'anticiper sur une si foible rétribution, est un arrêt de mort pour lui et sa famille : les dix sous qu'il emprunte aujourd'hui pour ne pas mourir de faim, sont un fardeau meurtrier qui va toujours en augmentant de pesanteur jusqu'à ce qu'il succombe (...)*» [12].

Au temps de Louis XVI, ce qui est encore plus insupportable que la réalité bien avérée, de la misère, c'est la conscience qu'en ont beaucoup de paysans qui se sentent laissés pour compte de la prospérité du XVIIIᵉ siècle qui a enrichi sous leurs yeux une frange étroite de « *coqs de village* ». L'exaspération naît du sentiment d'une injustice. Elle est aussi liée à l'alourdissement de la ponction seigneuriale, ou à la conscience que l'on en a.

Dans les dernières décennies de l'Ancien Régime, de nombreux seigneurs ont entrepris de faire rénover par les feudistes, spécialistes du droit « *féodal* », les terriers contenant les déclarations des tenanciers dont les exploitations relèvent de la directe de leur seigneurie, avec le détail des droits qu'ils doivent acquitter pour chaque parcelle. La réfection des terriers était l'occasion, pour les seigneurs, de remettre en vigueur des droits tombés en désuétude et de toucher d'intéressants arrérages.

Cette « *réaction seigneuriale* » n'est pas une originalité à la fin de l'Ancien Régime. A plusieurs reprises, les Temps Modernes en ont connu de semblables. Son amplitude, à l'échelle nationale n'est d'ailleurs pas facile à apprécier, faute d'études assez nombreuses. L'âpreté des seigneurs paraît avoir été fort différente, d'une région à l'autre. La procédure de réfection des terriers était longue, compliquée, et n'aboutissait pas toujours. Au préalable, le seigneur devait solliciter l'autorisation d'une Cour royale de justice sous forme de « *lettre à terrier* ». C'est ainsi que le présidial de Saintes a enregistré de telles lettres concernant 36 seigneuries de 1754 à 1789. Mais, sur ce nombre, combien y eut-il de rénovations effectives des terriers ? Dans la province voisine de l'Aunis, il semble que deux seigneurs seulement aient réussi à mener les opérations à leur terme [13].

Les seigneurs qui ont entrepris la réfection de leurs

terriers n'étaient pas des «*féodaux*» à l'esprit rétro-grade, mais des hommes ouverts aux idées nouvelles, parfois de récents acquéreurs, nobles ou bourgeois, décidés à faire rendre le maximum au capital investi dans l'achat de la seigneurie. La réfection des terriers s'inscrit en effet dans le contexte de la modernisation seigneuriale encouragée par la physiocratie. Ce sont les mêmes seigneurs qui font rénover leurs registres en poursuivant devant leur propre justice les tenanciers négligents ou récalcitrants, et qui clôturent les terres, poussent les défrichements, rognent les droits collectifs des paysans (vaine pâture, glanage, droits d'usage dans les forêts, etc.), ou encore réclament le partage des communaux à l'occasion duquel ils invoquent leur «*droit de triage*», c'est-à-dire l'autorisation qui leur a été reconnue par une ordonnance de 1669, d'annexer le tiers du communal à leur domaine proche, soit en toute propriété.

Emmanuel Le Roy Ladurie suggère que cette moder-nité seigneuriale aurait été surtout le fait de la moitié nord-est de la France, pays de grande culture et de champs ouverts [14]. Pierre de Saint-Jacob avait montré naguère l'âpreté de la «*réaction seigneuriale*», dans la Bourgogne du Nord [15]. Là où les propriétaires et fer-miers de seigneuries se sont montrés particulièrement durs, ils ont provoqué l'hostilité des communautés pay-sannes, déclenché une série de mouvements de colère [16].

Naturellement, la pauvreté n'est pas seulement le fait des campagnes. Elle est très répandue dans le petit peuple des villes. C'est même là qu'elle est le plus visible en raison de la concentration des miséreux et de l'afflux des mendiants, surtout en temps de crise, puis-que c'est dans les cités que se trouvent les principales institutions d'assistance.

Il est impossible de dénombrer les pauvres qu'abrite chaque ville car le seuil de la pauvreté est fort subjectif. D'ailleurs il varie en fonction du prix des denrées alimentaires. Les Lyonnais ont procédé, entre 1789 et 1791, à diverses évaluations de la proportion des véritables indigents : elles vont de 8 à 16% des 150 000 habitants. En période de crise, la masse des assistés « ordinaires » est grossie de nombreux ouvriers en soie. Par exemple, en novembre 1787, sur les quelque 1 100 ouvriers de la paroisse Sainte-Croix, 600 sont classés parmi les *« pauvres sollicitant des secours »*. Comme la Fabrique joue à Lyon le rôle de moteur de l'économie, tout accès de faiblesse dans la soierie entraîne un accroissement de la pauvreté dans l'ensemble des secteurs économiques de la grande ville et des paroisses voisines. Le 3 janvier 1788, le curé de Saint-Cyr au Mont d'Or, note dans son registre paroissial : *« Il est une cessation dans les ouvrages en soyes, dans la ville de Lyon (...) qui a réduit plus des trois-quarts des ouvriers à mendier leur pain (...). Pour ce, les vins ne se vendent pas, quoique la récolte n'aye pas été bonne en 1787, (...). Les tailleurs de pierre de la paroisse ont renvoyez leurs ouvriers, parce qu'il n'est point de nouvelles constructions à Lyon, à cause de la cessation de la fabrique (...) »* [17].

Beaucoup de Parisiens connaissaient aussi la pauvreté. Elle était fort répandue, notamment, dans cette masse d'hommes et de femmes fraîchement immigrés des régions les plus proches (Ile-de-France, Normandie, Nord) mais aussi de l'Est, du Massif Central et de la Savoie, qui constituaient une population flottante de 100 000 personnes ou même davantage, sur un total de 550 à 600 000 habitants. Il s'agissait souvent de migrants saisonniers vivant dans des chambrées à huit ou dix si ce n'est plus [18].

Tous les métiers ne connaissaient pas le même taux de paupérisme. La misère se réfugiait surtout dans le monde fluctuant des «*manouvriers*» ou « *gagne-deniers*», travailleurs à demi qualifiés ou non qualifiés dont il existait une infinie variété : toute la gamme des porteurs et messagers, depuis les forts des halles ou de la douane qui exerçaient un monopole jusqu'aux crocheteurs, portefaix, hommes de peine occasionnels, mais aussi la foule hétéroclite des petits métiers (porteurs d'eau ou de chaise, ramoneurs, décrotteurs, cireurs de bottes et les innombrables vendeurs des rues, crieurs de vin, marchands d'oublies ou de plaisirs etc.). Parmi eux, beaucoup de femmes, une majorité sans doute : celles qui travaillaient dans le domaine du vêtement (fripières des halles et des quais, raccommodeuses d'habits ou de chapeaux) mais aussi les regrattières qui revendaient au détail, sur les marchés ou sur la chaussée, toute sorte de produits, comme ces « *graillonneuses*» qui écoulaient les restes de table des traiteurs ou des riches particuliers. Tout en bas de la hiérarchie, la «*lie du peuple*», mendiants professionnels, filous et criminels [19]. En plus de cela les prostituées, ou du moins les bas-fonds de cet univers disparate dont les sommets se mêlaient, au contraire, au plus grand monde [20].

Il ne faudrait pas pousser au noir le tableau. Le peuple de Paris n'était pas, tout entier, dans le besoin, comme l'a prouvé la récente étude de Daniel Roche [21]. Il n'en reste pas moins que beaucoup d'habitants de la capitale, peut-être la majorité, menaient une vie précaire, menacée en cas de chômage, de «*cherté*». George Rudé a montré qu'il était facile à un ouvrier de tomber dans l'indigence. La plupart des travailleurs parisiens ne gagnaient pas plus de 30 sous par jour dans

159

les dernières années de l'Ancien Régime. Comme le nombre des jours ouvrables n'excédait guère 250 dans l'année et qu'il faut déduire les absences pour maladie, le salaire effectif peut être évalué à 18 sous. Lorsque le pain était à son cours moyen, les quatre livres nécessaires quotidiennement coûtaient 9 sous, c'est-à-dire la moitié du salaire. Mais lorsqu'il montait à 14 sous 1/2 les quatre livres, comme ce sera le cas au printemps et dans l'été de 1789, c'est 80% du salaire qui devait y être consacré... [22]

Le problème de la pauvreté, et celui de la mendicité qu'elle entraîne, obsède les esprits éclairés. La conscience du paupérisme n'est pas nouvelle à la fin de l'Ancien Régime. Dès l'époque de Louis XIV, Vauban avait fait admettre la nécessité de dénombrer les pauvres et les mendiants : prendre la mesure du problème était un premier pas vers la recherche d'une solution. Mais le souci a été accru par la crise économique des années 1780. Le pouvoir va bientôt lancer de grandes enquêtes statistiques : par l'intermédiaire des assemblées provinciales créées en 1787 puis, en 1790, grâce au Comité de Mendicité de l'Assemblée nationale.

La prise de conscience du problème de la pauvreté découle à la fois des bons sentiments et de la peur du risque social qu'entraînent mendicité et vagabondage. Au temps des Lumières, on continue à prêter au pauvre les deux visages qui ont toujours été les siens dans la tradition médiévale et moderne. « (...) *s'il est plusieurs mendiants que la misère force à tendre la main*, écrit Louis-Sébastien Mercier dans son *Tableau de Paris*, *et qui, affaissés sous le poids du malheur, ont dans le geste l'abattement de la vraie douleur et dans les yeux le feu sombre du désespoir, il est aussi un grand nombre de gueux hypocrites qui, par des gémissements imposteurs*

160

et des infirmités factices, surprennent votre libéralité et trompent votre compassion » [23].

Le « *bon pauvre* » revêt toujours la figure du Lazare de l'Evangile et le chrétien se sent des devoirs envers lui. La suite des édits qui interdisent la mendicité (par exemple au XVIIIe siècle ceux de 1724 et 1766) ordonnent aux communautés de prendre les pauvres à leur charge. De fait, il subsiste quelquefois une « *taxe des pauvres* » à la fin de l'Ancien Régime : ainsi dans la plupart des paroisses de la Flandre française [24]. Le paysan ne saurait, sans problème de conscience, refuser l'aumône aux mendiants de passage. Naturellement, ceux-ci jouent de ce sentiment. L'un d'eux prétend exiger l'aumône de force dans une auberge de Loches, en Touraine : « *Sacré fouteux gueux j'en foutre (sic), à qui donneras-tu la charité si tu ne me la donnes pas ?* » [25]. En fait, les mendiants font l'objet d'une certaine sympathie et bénéficient de complicité parmi le peuple. Il arrive aux Parisiens de se mobiliser contre les Archers de l'Hôpital chargés de leur arrestation. On déverse des seaux d'ordures ou de cendres chaudes par les fenêtres, tandis que les laquais, commis de boutique et même artisans viennent à leur rescousse avec fourches, couteaux et broches à rôtir [26].

Mais si l'on plaint facilement les miséreux, on redoute aussi les mendiants, surtout s'ils sont des vagabonds « *sans aveu* », c'est-à-dire des inconnus facilement assimilés aux brigands, comme en témoigne L.-S. Mercier : « *Il faut savoir qu'il existe dans le beau royaume de France une armée ennemie de plus de dix mille brigands ou vagabonds qui, chaque année se recrutent et commettent des délits de toute espèce* » [27]. Le souvenir des bandes de Cartouche et de Mandrin (exécutés respectivement en 1721 et 1755) suscite toujours l'effroi, même si ce sentiment se teinte d'admiration pour les chefs érigés en héros populaires par la littérature de colportage [28]. La crainte est d'ailleurs entretenue par l'existence d'autres troupes de brigands à la fin de l'Ancien Régime, comme celle d'Orgères qui fut détruite en 1783 avant de renaître sous le Directoire [29].

La peur du vagabond tient d'abord à son absence de racines locales. C'est un étranger, donc a priori un suspect. Le paysan redoute qu'il ne le vole, qu'il ne dégrade ses biens, pis encore qu'il n'y mette le feu. Il accuse facilement les vagabonds de le rançonner, de le « sommer » sous menace d'incendie. L'angoisse des ruraux est particulièrement forte quand la crise économique jette sur les routes des dizaines de milliers d'errants.

La double image du pauvre sous-tend les deux volets de la politique royale à son égard : le renfermement et l'assistance. L'idée de retrancher le mendiant de la communauté s'est développée depuis le XVIe siècle. Elle s'intègre dans le grand dessein de mettre à l'écart toutes les minorités qui n'acceptent pas les règles du jeu social : les fous, les libertins, les prostituées... Cette politique s'est épanouie sous le règne de Louis XIV, dans ce « grand renfermement » que Michel Foucault a magistralement analysé [30]. Le premier instrument de cette politique furent les hôpitaux généraux dont certains ont été créés très tôt (La Charité de Lyon en 1614) mais dont la plupart ont été ouverts après la fondation de celui de Paris, en 1656. Les nouvelles maisons devaient se spécialiser dans le renfermement des marginaux tandis que les Hôtels-Dieu resteraient affectés aux malades. Dans la réalité cette distinction a été parfaitement ignorée.

La politique d'enfermement fut un échec comme le montre l'abondante législation de rappel : en 1700,

1724, 1750 par exemple. Ce n'est qu'en 1764 que l'idéologie du renfermement posséda l'instrument nécessaire à sa mise en œuvre, sous la forme du dépôt de mendicité. Une déclaration royale, puis une circulaire ministérielle aux intendants, définissent l'échelle des peines à prononcer à l'égard des vagabonds et incitent à ouvrir des maisons spécialisées pour les accueillir. Un arrêt du Conseil de 1767 précise les choses en décidant la création de dépôts dans les villes les plus importantes de chaque généralité. Une trentaine, semble-t-il, devaient voir le jour.

Alors que les hôpitaux généraux conservaient l'aspect d'une maison d'assistance, au moins pour les invalides, les dépôts de mendicité étaient, dans leur essence même, des lieux de répression. Ils étaient destinés aux « *vagabonds et gens sans aveu qui, ne pouvant être envoyés aux galères à cause de leur sexe, de leur âge (70 ans), et de leurs infirmités, auront été condamnés par les prévôts de maréchaussée à être enfermés en exécution de la déclaration de 1764* », ainsi qu'aux « *mendiants de profession arrêtés à plus de deux lieues de leur domicile, internés par mesure administrative de correction (c'est-à-dire sans jugement) pour une durée de trois semaines ou un mois* ».

Le règlement de 1785 devait élargir la clientèle des dépôts aux fous, aux filles de mauvaise vie arrêtées à la suite des troupes, aux déments et aux personnes coupables d'inconduite. Dans la réalité, toutes sortes de marginaux se sont côtoyés dans les dépôts dits de mendicité. Celui de Bourges abrite pêle-mêle mendiants valides ou vagabonds, prostituées et vénériens, fous, libertins, voire enfants abandonnés, épouses et autres fils de famille rétifs [31].

Bien que ces maisons ne fussent pas considérées seulement comme des prisons, mais aussi des lieux de

« correction » ainsi que le montre l'obligation où se trouvaient les détenus de travailler pour parvenir à leur réhabilitation morale et à leur réinsertion sociale (obligation souvent théorique faute de crédits), elles furent tout de suite attaquées par les esprits éclairés qui condamnèrent l'inhumanité du procédé et son inefficacité. Loin d'éteindre la mendicité, les dépôts la reproduiraient. Du Cluzel, intendant de Tours de 1766 à 1783, les considérait comme des « *écoles de crimes* ». En novembre 1775, Turgot ordonna la suppression de tous les dépôts, à l'exception de cinq d'entre eux. Mais, on accusa les détenus libérés de fomenter des troubles et Turgot dut rouvrir onze dépôts, son successeur au Contrôle général, Clugny, rétablissant les autres.

Jusqu'à la fin de l'Ancien Régime, la répression demeura donc un élément fondamental de la politique officielle à l'égard de la mendicité. L'idée de la faute, paresse ou inconduite, justifiait la sévérité employée à l'encontre des « *mauvais pauvres* ». Mais il y avait les autres, les victimes des « *malheurs des temps* ». L'esprit chrétien avait toujours exigé des riches qu'ils fussent compatissants envers eux. Au XVII\ :sup:`e` siècle, de nombreuses confréries charitables s'étaient formées pour les assister, sur le modèle de celles fondées par Saint-Vincent-de-Paul. Mais au tournant du XVIII\ :sup:`e` siècle, une idée nouvelle apparaît, qui va bientôt prendre le pas sur la charité : la bienfaisance. La charité est l'affaire de l'individu et elle a pour ressort la foi. La bienfaisance relève de la société, de l'Etat ; elle se fonde sur la « *philanthropie* », sur l'amour des hommes, et non sur celui de Dieu. Elle procède d'une analyse rationnelle du système économique, voire politique. La société ou l'Etat sont responsables de la misère, il est donc normal qu'ils aient un devoir d'assistance envers les pauvres.

164

Cette théorie, déjà formulée chez l'abbé Fleury ou Boulainvilliers, prend son essor au milieu du siècle des Lumières. Montesquieu estime que l'Etat « *doit à tous les citoyens une subsistance assurée, la nourriture, un vêtement convenable, et un genre de vie qui ne soit point contraire à la santé* » [32]. L'*Encyclopédie* surenchérit : « (...) *l'homme n'a droit de vivre que du fruit de ses peines, et la société ne lui doit que les moyens d'exister à ce prix ; mais ces moyens, elle les lui doit : ce n'est pas assez de dire au misérable qui tend la main, va travailler ; il faut lui dire, viens travailler.* » [33]

L'idée de bienfaisance se traduit dans la politique royale sous la forme d'une offre de travail aux mendiants valides : ce sont les ateliers de charité qui s'ajoutent aux traditionnels bureaux de charité, dispensateurs de secours. Les ateliers de charité furent une des pièces essentielles du dispositif de Turgot pour combattre la misère. Le contrôleur général des années 1774-1776 en avait fait précédemment l'expérience en Limousin dont il était intendant. Mais ce n'était pour lui qu'un palliatif temporaire où la motivation politique (les nécessités du maintien de l'ordre) rejoignait le but philanthropique. Comme ses amis physiocrates, Turgot considérait que la véritable solution du problème de la pauvreté serait la prospérité qu'entraînerait la libération du prix des grains. Cependant, la réduction du nombre des dépôts de mendicité, allant de pair avec la multiplication des ateliers de charité, montre que, dans son esprit, la bienfaisance devait l'emporter sur la répression : c'est là tout le sens de l'évolution des idées au temps des Lumières [34].

La misère qui augmente alors que l'économie s'essouffle, et qui devient insupportable en cas de « *cherté* », n'est pas la seule cause du mécontentement populaire. Il s'y ajoute une grande anxiété devant un avenir incertain : le problème de l'insertion dans le monde du travail se pose à une jeunesse très nombreuse en raison de l'essor démographique, et celui de la promotion personnelle concerne tous les adultes.

Dans les métiers, les conditions d'apprentissage deviennent plus difficiles à la fin du XVIIIe siècle. Les contrats notariés se font plus rares, semble-t-il, surtout pour les filles, et avec eux s'amenuisent l'assurance de trouver chez les maîtres le gîte et le couvert [35]. A Lyon, l'apprentissage dure quatre ans dans la plupart des communautés, et même huit ans pour les orfèvres. Cette durée, ajoutée à l'absence de rénumération (tout juste le maître donne-t-il la soupe à l'apprenti) suffit à écarter des métiers qualifiés la plupart des enfants de pauvres, spécialement les ruraux [36].

Devenu compagnon, l'ouvrier a de moins en moins de chances d'accéder à la maîtrise, s'il n'est pas fils de maître. Une étude portant sur deux paroisses du centre de la ville de Tours montre que 75% des ouvriers mariés entre 1690 et 1715 ont accédé à la maîtrise, 40% de ceux qui ont convolé entre 1735 et 1745 et 8% seulement de ceux qui l'ont fait entre 1760 et 1770 [37]. C'est que le patronat des corporations a multiplié les barrages au cours du siècle. Ainsi à Lyon, les règlements sont draconiens. Dans certains métiers, on oblige le compagnon qui veut accéder à la maîtrise à faire un chef-d'œuvre, qui engage des frais considérables (8 à 900 livres pour les pâtissiers). Même quand le chef-d'œuvre n'est pas exigé, de multiples redevances découragent les compagnons d'envisager l'accession à la maîtrise. Des dynasties de maîtres se sont donc mises en place et il n'est pas surprenant que l'écart de fortune avec les compagnons ait été en augmentant : entre 1730 et 1789, l'apport moyen des maîtres au mariage a

grandi de 145%, celui des ouvriers de 80% seulement [38].

Les études de mobilité sociale manquent, qui per-
mettraient de dépasser le stade des simples notations
impressionnistes et de nous instruire sur les possibilités
de promotion. L'étude tourangelle déjà citée montre
une grande stabilité d'une génération à l'autre : 60%
des hommes de la troisième génération appartiennent à
la même catégorie socio-professionnelle que leurs pères et près de 70% de ces derniers appartiennent à la
même catégorie que les grands-pères. La mobilité, on
le voit, n'est cependant pas absente et l'on ne peut
parler de société bloquée. Il faut préciser toutefois que
l'espoir de promotion se réduit vers la fin de l'Ancien
Régime : le pourcentage des déclassements, d'une génération à l'autre, égale presque celui des ascensions,
alors qu'il n'équivalait qu'à un bon tiers de celles-ci
dans la première moitié du XVIIIe siècle [39]. Si cela était
avéré à l'échelle nationale, on comprendrait qu'il en
soit né un sentiment diffus de malaise dans les catégories populaires d'autant que les chances de promotion
personnelle ont diminué, nous l'avons vu, au cours du
siècle, ce qui a sans doute eu le plus grand impact
psychologique.

Le malaise de la société, au temps de Louis XVI, ne
vient pas seulement (et sans doute pas essentiellement)
de la misère du petit peuple et de la difficulté des
jeunes gens de milieux modestes à trouver un emploi et
à s'élever dans la hiérarchie sociale. La bourgeoisie,
elle aussi, est insatisfaite. Ce sont ses revendications et
ses critiques que *Le Mariage de Figaro* répercute et fait
résonner en proportion de son succès.

Bien que l'argent ait joué au long du XVIIIe siècle, un rôle de plus en plus grand dans la détermination du rang, la société française de la fin de l'Ancien Régime reste, pour l'essentiel, une société d'ordres dans laquelle les distinctions principales entre les hommes ont des fondements juridiques et sont matérialisées par des privilèges. Dans ces conditions, les bons bourgeois aspirent à partager les honneurs et les avantages des nobles, tandis que les gens de moindre envergure, qui ne peuvent espérer une telle promotion, rêvent de supprimer les privilèges et de substituer à la naissance le mérite et les « *talents* » (ce qui revient pratiquement à dire la fortune) comme critère principal du rang.

Si l'on veut juger de la difficulté qu'avaient les bourgeois du temps de Louis XVI à réaliser leurs ambitions, il faut s'efforcer de répondre à deux questions d'ailleurs liées entre elles : souffrent-ils, plus qu'auparavant, d'un ostracisme qui les empêcherait d'accéder aux plus hautes charges de l'Etat et aux honneurs les plus distingués de la société ? Ont-ils moins de possibilité de s'intégrer à la noblesse qu'aux époques plus anciennes ?

La première question est en fait celle de ce que l'on a coutume d'appeler la « *réaction nobiliaire* ». L'ampleur, voire l'existence du phénomène, est discutée par les historiens. A priori, on serait tenté d'affirmer avec force sa réalité dans de nombreux domaines. Ainsi au gouvernement, l'époque de Louis XIV que Saint-Simon avait qualifiée de « *long règne de la vile bourgeoisie* » paraît bien loin. Les ministres de Louis XVI sont tous nobles, mis à part Necker qui a fait scandale pour beaucoup. La plupart des intendants ont eux-mêmes leurs quatre degrés de noblesse. Certains appartiennent à de très anciens lignages : ainsi Blossac, intendant de

Poitiers, dont la noblesse remontait au XVe siècle. Dans le clergé, les grands chapitres se sont fermés à la roture et un seul des évêques en place en 1789 n'est, à coup sûr, point un noble : Hachette des Portes [40]. Les parlementaires manifestent aussi leur souci de réserver l'achat des offices à la noblesse. Charles Mercier-Dupaty, cet ami à qui Beaumarchais fera élever un monument dans son jardin après sa mort inopinée en 1788, était avocat général au Parlement de Bordeaux. Dans les premiers temps du règne de Louis XVI, il déclencha une cabale des magistrats en achetant un office de président. Sans doute y eut-il des raisons politiques à cela : ses liens avec les philosophes, Voltaire notamment. Mais sa roture a dû être pour quelque chose dans l'ostracisme des parlementaires bordelais. Dupaty ne fut installé en 1782, que grâce à la faveur du ministère [41].

C'est dans l'armée, sans doute, que la « *réaction nobiliaire* » est la plus spectaculaire. Choiseul, au temps de Louis XV, Sartine, dans les premières années du règne de Louis XVI, ont favorisé les officiers de marine nobles, issus des compagnies de cadets ou de « *Gardes de la Marine* », ceux qu'on appelait les « *rouges* » au détriment des « *bleus* », roturiers issus de la marine marchande. Dans l'armée de terre, la fameuse décision royale du 22 mai 1781, improprement appelée « *édit de Ségur* » interdit à ceux qui n'ont pas leurs quatre degrés de noblesse d'accéder au grade de lieutenant sans passer par le rang, du moins dans les régiments français car la roture reste autorisée dans les régiments « *étrangers* ».

Cette « *réaction nobiliaire* », qui ne doit pas être confondue avec la « *réaction seigneuriale* », doit cependant être relativisée. Elle est souvent l'aboutissement d'une longue et lente évolution. Les choix des évêques, comme celui des officiers de l'armée, a toujours été très majoritairement nobiliaire depuis le début des Temps Modernes. En Bretagne, la noblesse des parlementaires est un dogme intangible dès le règne de Louis XIV. Jean Meyer a montré que les magistrats du Parlement de Rennes étaient, d'ailleurs, en moyenne de plus ancienne extraction que le reste des nobles de leur province [42]. Pour lui, comme pour beaucoup d'autres historiens tel Pierre Goubert, s'il y eut « *réaction* », elle fut plutôt dirigée contre les anoblis que contre les roturiers [43]. Michel Péronnet a étudié en détail le recrutement des évêques dans le temps long du XVIe au XVIIIe siècle. Il distingue bien un net recul du pourcentage des anoblis parmi les évêques nommés sous Louis XV et Louis XVI, mais cela lui paraît tenir moins à une exclusion délibérée, qu'à la fusion, grâce aux alliances matrimoniales, de toutes les noblesses dans un « *noyau dirigeant* » [44].

En définitive, la seule réalité que l'on puisse tenir pour certaine dans les dernières années de l'Ancien Régime (mais est-ce une originalité de l'époque ?), c'est l'existence d'un fort esprit de caste dans la noblesse. Nous en prendrons pour témoignage les cahiers de doléances du deuxième ordre. Si 89% d'entre eux revendiquent une égalité plus ou moins totale des Français devant l'impôt, 5% seulement demandent l'accession égale aux emplois qui est la seconde grande exigence de la bourgeoisie [45].

Cependant, si les bons bourgeois pouvaient s'intégrer facilement à la noblesse, l'exclusivisme de principe que pouvait manifester celle-ci à l'égard des roturiers n'avait pas grand sens. Or, il est indéniable qu'au temps de Louis XVI, une large partie des membres du deuxième ordre n'avaient qu'une noblesse récente. Selon

Guy Chaussinand-Nogaret, l'ancienneté des deux tiers au moins des familles nobles ne remonterait pas au-delà du XVIIᵉ siècle [46]. De nombreux roturiers avaient encore été anoblis au XVIIIᵉ siècle et jusque dans les dernières années de l'Ancien Régime : l'exemple des deux grands négociants dauphinois Claude Périer et Pierre-Daniel Pinet, qui accèdent respectivement à la noblesse en 1779 et 1784 en est un symbole [47]. Deux filières s'offraient aux roturiers : l'exercice d'une charge conférant la noblesse ou l'octroi de « lettres de mérite ». Il est sûr que la première voie était devenue plus difficile en raison de la fermeture de certains grands corps aux roturiers, de la diminution du nombre des charges municipales anoblissantes depuis Louis XIV et surtout du fait que la plupart des offices donnant la noblesse étaient déjà occupés par des nobles. Mais les gens fortunés pouvaient toujours acquérir à prix d'argent certaines sinécures anoblissantes, par exemple une des nombreuses charges de secrétaire du roi. C'est en achetant cette fameuse « *savonnette à vilains* » que les deux marchands cités ci-dessus et aussi notre Beaumarchais « décrassèrent » leur roture. De son côté, le monarque accorde assez facilement des « *lettres de mérite* » aux capacités : hommes d'affaires ou savants qu'il veut distinguer. Les frères Montgolfier, par exemple, bénéficièrent d'une telle faveur.

Là encore, il est impossible de conclure en connaissance de cause. Pour avoir une idée exacte des possibilités offertes à la grande bourgeoisie d'accéder à la noblesse, il faudrait pouvoir quantifier, ce que nous sommes loin d'être en mesure de faire dans l'état actuel de la recherche. Mais cela a-t-il vraiment beaucoup d'importance ? Ce qui compte le plus pour expliquer les frustrations bourgeoises, c'est sans doute moins la réalité de l'obstacle qui s'oppose à la conquête des honneurs, des places, du pouvoir, que la conscience que l'on en a. Le malaise est surtout psychologique. A la fin du siècle des Lumières, la seule idée d'une sélection des meilleurs fondée sur l'hérédité est devenue inadmissible. Même si la soupape de l'anoblissement reste entrouverte, elle ne peut empêcher la revendication puissante de l'égalité de naissance. La fameuse apostrophe de Figaro, «*vous vous êtes donné la peine de naître, et rien de plus*», ne pouvait manquer de soulever l'enthousiasme de l'élite du Tiers Etat, tant elle exprimait bien, dans sa géniale concision, la toute première de ses rancœurs.

C'est qu'à cette époque, la bourgeoisie était fort persuadée de ses mérites. Depuis le début du siècle, d'innombrables plaidoyers avaient insisté sur son importance dans la cité, partant sur sa dignité, en rabaissant *a contrario* le personnage du noble. «(...) *le négociant*, écrit dès 1734 Voltaire dans ses *Lettres philosophiques*, *entend lui-même parler si souvent avec mépris de sa profession, qu'il est assez sot pour en rougir. Je ne sais pourtant lequel est le plus utile à un Etat, ou un seigneur bien poudré qui sait précisément à quelle heure le Roi se lève, à quelle heure il se couche, et qui se donne des airs de grandeur en jouant le rôle d'esclave dans l'antichambre d'un ministre, ou un négociant qui enrichit son pays, donne de son cabinet des ordres à Surate et au Caire, et contribue au bonheur du monde*» [48]. En 1770, Beaumarchais, lui-même homme d'affaires avant tout, porte à la scène une apologie du marchand : *Les deux amis ou le négociant de Lyon*. Il y fait dire à Aurelly, son héros :

— «(...) *je fais battre journellement deux cents métiers dans Lyon. Le triple de bras est nécessaire aux*

172

apprêts de mes soies. Mes plantations de mûriers et mes vers en occupent autant. Mes envois se détaillent chez tous les marchands du royaume ; tout cela vit, tout cela gagne, et, l'industrie portant le prix des matières au centuple, il n'y a pas une de ces créatures, à commencer par moi, qui ne rende gaiement à l'Etat un tribut proportionné au gain que son émulation lui procure. (...) Et tout l'or que la guerre disperse, Messieurs, qui le fait rentrer à la paix ? Qui osera disputer au Commerce l'honneur de rendre à l'Etat épuisé le nerf et les richesses qu'il n'a plus ? Tous les citoyens sentent l'importance de cette tâche : le Négociant seul la remplit. Au moment que le Guerrier se repose, le Négociant a le bonheur d'être à son tour l'homme de la Patrie » [49].

Les arts et les lettres glorifient de plus en plus l'homme d'affaires, modèle de toutes les vertus, travailleur acharné et philanthrope, plus utile désormais à son pays que le soldat. Pour 1784, l'année du *Mariage de Figaro*, retenons-en deux symboles. D'abord cette *« belle négociante »* que grave Frussotte pour illustrer *Les contemporaines graduées* de Rétif de La Bretonne. Représentée en visite dans le magasin de son mari, parmi les balles de marchandise de tous les pays du monde, elle a le port et la parure d'une marquise [50]. En second lieu *Le Négociant patriote*, un livre anonyme qui fait du marchand, *« expression suprême du bourgeois »* [51], le pivot de l'économie et la providence de l'humanité, bienfaiteur des pauvres, devant lequel doivent s'effacer tous les préjugés.

En face d'une bourgeoisie sûre d'elle et de son bon droit, la noblesse a des états d'âme, qui la fragilisent. En fait, deux courants idéologiques contradictoires la traversent au XVIIIe siècle.

Le premier affirme son droit historique à partager le

pouvoir. Il se nourrit des critiques de Fénelon et de Saint-Simon contre l'absolutisme : Louis XIV a dévoyé la constitution traditionnelle de la France en privant les nobles de leur vocation à gouverner le royaume. Certains vont jusqu'à fonder les droits de la noblesse sur une prétendue supériorité raciale. Ainsi Boulainvilliers et Le Laboureur (dont les œuvres paraissent entre 1727 et 1740) affirment que les nobles sont les descendants des Francs vainqueurs, les roturiers ayant pour ancêtres les Gaulois vaincus [52].

Montesquieu insiste aussi sur le droit des nobles au gouvernement, dont il fait une des « *lois fondamentales* » de la monarchie : « *Le pouvoir intermédiaire subordonné le plus naturel est celui de la noblesse. Elle entre en quelque façon dans l'essence de la monarchie, dont la maxime fondamentale est : point de monarque, point de noblesse ; point de noblesse, point de monarque* » [53]. Mais, tandis que les apologies de Boulainvilliers et de Le Laboureur profitaient à la noblesse d'épée, le président au Parlement de Bordeaux plaide en premier lieu pour la noblesse de robe.

Face à ces justifications idéologiques de la prééminence des nobles dans l'ordre social et politique, il existe au temps des Lumières un courant de pensée aristocratique qui conteste l'hérédité de la noblesse et fonde les distinctions sur le mérite plutôt que sur la naissance. Il est représenté, notamment, par le marquis d'Argenson, qui fut secrétaire d'Etat aux Affaires étrangères de 1744 à 1747. N'écrivait-il pas dans ses *Mémoires* : « *Que tous les citoyens fussent égaux entre eux, afin que chacun travaillât suivant ses talents et non par le caprice des autres. Que chacun fût fils de ses œuvres et de ses mérites : toute justice serait accomplie et l'Etat serait mieux servi* » [54] ?

Une partie de la noblesse semble donc douter de son

bon droit, ou plutôt elle est tentée d'ouvrir ses rangs au mérite. Incontestablement, certains rêvent d'une aristocratie où se fondraient des bourgeois anoblis et des nobles « embourgeoisés » délaissant les formes traditionnelles de service du roi, l'épée notamment, pour les affaires, selon le vœu exprimé par l'abbé Coyer dans un livre célèbre publié en 1756 : *La noblesse commerçante*. Près de 25% des cahiers du deuxième ordre revendiquent, en 1789, l'anoblissement de la vertu, du courage, du mérite. Soulignons pourtant qu'il ne s'agit là que d'une minorité. Au fond des provinces, la masse des nobles reste attachée à la naissance, seul critère qui les différencie des riches roturiers. Mais les doutes ou les hésitations de l'esprit aristocratique, qui n'ont sûrement pas été étrangers aux applaudissements dont certains grands seigneurs ont salué *Le Mariage de Figaro*, n'en ont pas moins facilité l'offensive de l'« *esprit bourgeois* ».

A LA CROISÉE DES CHEMINS

Le peuple et surtout la bourgeoisie ont trouvé dans le fonds commun de la « *philosophie* » matière à donner à leur mécontentement une expression idéologique. Une pensée laïcisée, revendiquant la liberté, affirmant l'égalité de nature pouvait servir aussi bien la cause du libéralisme économique que celle de l'individualisme mal à l'aise dans tous les groupes hiérarchisés de la société traditionnelle, la famille, les métiers et les autres corps, ou la contestation de l'absolutisme de droit divin.

La génération des « *grands* » philosophes est, nous le savons, en train de disparaître au début du règne de Louis XVI. Voltaire et Rousseau s'éteignent, à deux mois d'intervalle, au printemps de 1778, d'Alembert en 1783, et Diderot agonise en 1784 alors que Beaumarchais triomphe au Théâtre-Français. D'ailleurs, voués à une sorte de culte populaire, entourés de la considération des « *élites* », courtisés par les Grands, ces monuments de la philosophie ne semblent plus guère redoutables pour le régime. Voltaire, peu de temps avant de disparaître, a assisté en personne au couronnement de son buste par les Comédiens-Français après la représentation d'*Irène*. Quant à Rousseau, mort il attira à lui cette opinion publique dont il désespérait à la fin de sa vie. Les *Rêveries du promeneur solitaire* et les six premiers livres des *Confessions*, parus en 1782, provoquèrent l'admiration éperdue des Français, et son tombeau d'Ermenonville fut l'objet de pèlerinages que fréquentèrent les plus illustres personnages.

Cependant, les idées lancées par les grands philosophes leur ont échappé depuis longtemps. Elles sont popularisées par une foule d'écrivains de seconde zone qui les radicalisent et les montent en système. La critique s'exaspère, comme le symbolise le point d'orgue du 27 avril 1784. Par les mille canaux du livre, du libelle, du journal, par toutes les ressources d'une imprimerie en plein essor, elle touche un public élargi par les progrès, lents mais certains, de l'alphabétisation. Elle se répand aussi de bouche à oreille grâce aux institutions associatives qui se sont multipliées : depuis les solennelles académies jusqu'aux plus éphémères réunions des cafés en passant par les salons et les loges maçonniques. Face à ce flot montant de la contestation, le pouvoir donne l'impression d'hésiter perpétuellement, comme il l'a fait à propos du *Mariage de Figaro*, entre tolérance et répression, conservatisme et réforme.

L'exaspération de la critique

Après la disparition des figures de proue de la philosophie, la République des Lettres est loin d'être dépeuplée. Condorcet en fait figure de chef de file ; à côté de lui, l'ancien abbé Raynal, Marmontel, Morellet, La Harpe, Thomas, Chamfort, l'abbé Delille, sont parmi les plus en vue. Ils sont bien intégrés dans la haute société. On relève d'ailleurs parmi les « *philosophes* » de grands noms des deux premiers ordres : le duc de Duras, le marquis de Chastellux, Loménie de Brienne, archevêque de Toulouse ou Boisgelin, archevêque d'Aix. Tous ces écrivains sont honorés par le régime, touchent des pensions, jouissent de sinécures et peuplent les académies. Condorcet est secrétaire perpétuel de l'Académie des Sciences depuis 1773 et il est élu à l'Académie française en 1782 [1]. Marmontel succède en 1783 à d'Alembert comme secrétaire perpétuel de ce fleuron prestigieux de la République des Lettres.

Une des figures caractéristiques de l'intelligentsia établie est Jean-Baptiste Suard, le censeur rigoureux de Beaumarchais. Introduit dans sa jeunesse dans les milieux philosophiques et les salons grâce à la protection de l'abbé Raynal, il cumule les pensions, les emplois, les honneurs, dont celui d'être membre de l'Académie française. Il a épousé la sœur de l'éditeur le plus célèbre des Lumières, Panckoucke, et accumulé une fortune rondelette [2].

Cependant, à côté des écrivains reconnus de la République des Lettres qui assurent la gestion tranquille des idées philosophiques sans beaucoup de risques pour le pouvoir, grouille à Paris tout un monde d'hommes de plume venus dans la capitale dans l'espoir de gagner à la fois de l'argent et de la gloire, mais beaucoup trop nombreux pour pouvoir tous être intégrés dans l'« *establishment* », avoir part aux pensions et entrer dans les académies. Les individus qui composent cette « *Bohème littéraire* » (parmi lesquels certains se feront un nom dans la Révolution, un Brissot, un Marat par exemple) croient en la philosophie et en leur mission éducatrice à l'égard du peuple, mais comme ils sont exclus des largesses de l'Etat et rarement pourvus de fortune personnelle, ils ont un absolu besoin d'argent. Pour eux, « *la littérature est devenue un métier* » selon le mot de Meister [3]. Ils acceptent donc toutes sortes de basses besognes et se font pamphlétaires anonymes, pornographes, quand ce n'est pas espions de police. Ainsi en était-il pour Brissot qui, malgré sa profession d'avocat, son amour du travail et sa solide instruction, avait bien du mal à vivre. L'année 1784 fut pour lui fertile en événements fâcheux. Il avait lancé à Londres une revue philosophique internationale, le *Lycée*, mais fut arrêté sur ordre de son imprimeur à qui il n'avait point payé ses dettes. Ayant racheté sa liberté grâce à une avance de sa belle-mère, il gagna la France mais fut embastillé parce qu'on le soupçonnait d'avoir prêté sa plume à plusieurs écrits pornographiques qui salissaient la reine. Il ne dut son salut qu'à l'intervention du duc de Chartres, aux largesses de son ami genevois, le banquier Clavière et, peut-être, à la complaisance du lieutenant de police Lenoir qui l'aurait engagé dans ses services [4].

Selon la thèse de Robert Darnton, l'échec personnel de beaucoup d'écrivains de la « *Bohème littéraire* » serait pour une bonne part dans la haine viscérale qu'ils portaient aux corps privilégiés qui les avaient exclus (l'Académie française, celles de peinture, de sculpture, de musique, la Société royale de médecine), aux salons qui s'étaient fermés devant eux, bref à tout ce qui représentait la République des Lettres. Ces ratés de la « *philosophie* » auraient travaillé à miner l'Ancien Régime en diffusant dans les couches moyennes et le petit peuple une sorte de « *rousseauisme du vulgaire* » composé, pour l'essentiel, de virulentes critiques contre l'inégalité, d'exaltation de la vertu bourgeoise et d'attaques en tout genre contre le « *despotisme dégénéré* ».

Les écrits pornographiques figurent parmi les armes les plus efficaces de cette sape. De tout temps la verve gauloise avait inspiré une abondante infra-littérature ordurière qui s'en prenait aux mœurs des Grands jusque dans les allées du pouvoir. Les favorites de Louis XV, par exemple, n'avaient pas été épargnées. On sait que Beaumarchais avait reçu mission de négocier à Londres avec un des plus connus parmi les auteurs à scandale, Charles Théveneau de Morande, qui avait fait de la du Barry l'héroïne des *Mémoires secrets d'une femme publique*. On était alors en 1774 et ce genre d'ouvrages commençait à pulluler. Ils s'en prennent bientôt au couple royal lui-même. Exploitant le peu d'intérêt de Louis XVI pour les jeux de Vénus, ils brodent à loisir sur la stérilité de Marie-Antoinette et les moyens qu'elle aurait employés pour pallier les déficiences de son époux. On a déjà évoqué cet *Avis à la Branche Espagnole sur ses Droits à la Couronne de France, à défaut d'héritiers* (...) que Beaumarchais avait été chargé de faire disparaître [5]. En 1779 paraissait à Londres un opuscule qui devait avoir un grand succès de scandale, *Les Amours de Charlot et de Toinette*. Il reprenait, une fois de plus, la thèse de l'impuissance de Louis XVI :

> « *On sait bien que le pauvre Sire*
> *Trois ou quatre fois condamné*
> *Par la salubre faculté*
> *Pour impuissance très complète*
> *Ne peut satisfaire Antoinette* ».

Il décrivait surtout, en termes fort crus, les prétendus dédommagements que la reine aurait été chercher dans les bras de son beau-frère, le comte d'Artois [6]. Ce libelle était sorti d'une véritable fabrique spécialisée dans le genre qu'un libraire de Genève, nommé Boissière, avait installée à Londres [7].

Malgré les efforts du gouvernement pour interrompre la diffusion des écrits pornographiques ou des pamphlets, par des tractations financières comme celles dont avait été chargé Beaumarchais, ils franchissent facilement les frontières et se répandent rapidement à Paris. La *Correspondance secrète* porte, à la date du 16 décembre 1783 : « *On voit une foule de brochures dont les titres vous suffiront bien. Ce sont des* Entretiens de l'autre monde sur ce qui se passe dans celui-ci, (...) — Le Souper des Petits-Maîtres. — Le Diable dans un bénitier. — Le Portefeuille de Madame Gourdan *(la plus célèbre des maquerelles de la capitale qui venait de mourir* [8]). — Des lettres philosophiques sur Saint-Paul. — Une Réponse au Tableau de l'église de Liège. — Les Anecdotes du dix-huitième siècle *(compilation d'extraits des* Mémoires secrets de Bachaumont). Le Recueil amusant. — Des Amusemens, gaîtés et Frivolités poétiques, par un bon Picard (...) » [9].

La pornographie est une arme politique très efficace car elle distille sous une forme attrayante un venin redoutable. En salissant les Grands, les gens de Cour et jusqu'à la famille royale, elle contribue à propager le sentiment que tout est pourri dans les hautes sphères de la société et de l'Etat. En même temps, elle flatte la bourgeoisie en répandant le préjugé courant selon lequel le « *peuple* » aurait le monopole de la vertu tandis que le vice serait le privilège de « *l'élite* » [10].

Comme les pamphlets politiques et l'infra-littérature ordurière, toute la production des Lumières bénéficiait du relâchement de la censure à la fin de l'Ancien Régime. On peut dater le tournant de 1750, année où fut nommé à la tête de la Librairie (où il devait rester jusqu'en 1763) Lamoignon de Malesherbes à qui l'on doit, entre autre, l'autorisation de paraître de l' *Encyclopédie*. L'immense majorité des livres fut publiée grâce à l'un ou l'autre des systèmes de la «*permission tacite*», forme allégée de la censure, et de la «*simple tolérance*», promesse de ne pas poursuivre les auteurs et éditeurs plutôt qu'autorisation expresse de publier. Cela équivalait à une large liberté [11]. Pour les cas les plus difficiles, il restait la possibilité de faire imprimer les livres à l'étranger. C'est ainsi que seule la première édition de l'*Encyclopédie* a été fabriquée en France, nous l'avons dit [12]. Robert Darnton a montré comment a été diffusée l'édition in quarto imprimée de 1777 à 1779 à Genève et Neuchâtel par un consortium, la Société Typographique de Neuchâtel dirigée par Joseph Duplain, un libraire lyonnais. De Suisse, les exemplaires étaient acheminés à Lyon dans les dépôts de Duplain et de là envoyés chez les libraires de tous les pays d'Europe qui répartissaient leur lot entre les souscripteurs. Le voyage était long et plein d'aléas, ponctué de haltes nombreuses dans les bureaux de douane ou d'octroi et dans ceux des communautés de libraires. La diffusion en était ralentie mais elle se faisait malgré tout. En France, par exemple, l'*Encyclopédie* a atteint même les régions les plus isolées : on l'a achetée à Tulle, Aurillac, Saint-Flour ou à Embrun, même si les ventes ont été plus faibles dans le triangle sous-alphabétisé Bretagne-Massif Central-Sud-Ouest (avec les exceptions remarquables des grandes villes comme Rennes ou Bordeaux) [13].

La diffusion de la critique sociale et politique a été également facilitée par l'éclosion de la presse moderne. Le règne de Louis XVI coïncide avec l'apparition en France des quotidiens et le développement des journaux régionaux. Jusqu'alors existaient seulement de grands périodiques dont la fréquence de parution était variable : la *Gazette de France*, le *Journal des Savants* ou le *Mercure de France*. C'est en 1777 qu'est fondé, sur le modèle anglais, le premier quotidien : le *Journal de Paris* . Un concurrent est lancé dès la fin de l'année suivante : le *Journal Général de France*.

En province, une trentaine de périodiques sont fondés, surtout dans les années 1770 et 1780. La plupart du temps ils portent le titre d'*Affiches* (de Toulouse, de l'Orléanais, de Picardie, d'Angers, du Dauphiné, de la province du Poitou, de Bourges, de Limoges, de Provence etc.) [14].

L'ensemble de la presse diffuse les idées nouvelles, avec une prudence plus ou moins grande. Même les périodiques anciens, aux mains du pouvoir et en situation de monopole, servent de caisse de résonnance à la « *philosophie* ». Le *Journal des Savants*, sorte d'organe officiel de la République des Lettres, a beaucoup changé dans les dernières décennies. En 1750, il publie 140 articles sur la religion et aucun sur la philosophie. En 1780, il en publie seulement 37 sur la religion mais il en consacre 135 à la philosophie et aux sciences. Le *Mercure de France*, édité à partir de 1778 par Panckoucke et dirigé par son beau-frère, Jean-Baptiste Suard, bénéficie de son côté de la collaboration d'une pléiade de philosophes [15] .

L'esprit des Lumières se manifeste également dans les quotidiens. Le *Journal de Paris*, dirigé lui aussi par Suard, n'est pas des plus hardis : on sait avec quelle hargne il poursuit Beaumarchais. Cela ne l'empêche pas de faire l'éloge de Voltaire et de Rousseau après leur mort, voire celui de Diderot. D'ailleurs, même les critiques les plus acharnées à l'égard des œuvres philosophiques contribuent à les faire connaître et à exciter à leur égard la curiosité du public. La bile de Suard contre *Le Mariage de Figaro* lui fit une publicité que Beaumarchais sut exploiter au mieux. En s'autorisant d'une sorte de droit de réponse, il réussit à faire paraître ses propres articles dans le journal et, en prolongeant la controverse, il alimenta l'intérêt du public pour son œuvre et pour lui-même [16].

La presse de province est généralement plus timorée que celle de la capitale. Elle a du mal à vivre et s'efforce de plaire au public le plus large, de ne point choquer l'opinion conservatrice. Elle consacre en général l'essentiel de ses pages à des informations pratiques (décisions de justice, cours des denrées, publicité commerciale) ainsi qu'aux anecdotes et faits divers. Elle n'ignore pourtant point les problèmes à la mode. C'est ainsi que les *Affiches d'Angers* contribuent à éveiller la curiosité du grand public dans le domaine de la science et de la technique par une série de rubriques où se reflètent les idées physiocratiques. Charles-Pierre Mame, leur éditeur, est d'ailleurs un partisan convaincu du progrès. Il laisse échapper, en 1784, cette louange à son époque : «*la fin du XVIIIe siècle sera à jamais mémorable pour la multitude des inventions surprenantes qui la caractérisent*». Les *Affiches d'Angers* font aussi leur place à la philosophie. En 1778, elles rendent un long hommage à Jean-Jacques Rousseau qualifié de «*tendre et généreux libérateur de ce petit peuple*». L'intention politique est claire. D'ailleurs, il arrive que le journal rende compte d'événements proprement politiques [17].

L'accès du grand public aux livres, aux journaux et à la multitude des pamphlets et libelles de toute sorte qui ont inondé la France dans les années 1780 a été facilité par une certaine diffusion de l'alphabétisation au long du XVIIIe siècle. On a, depuis longtemps, une idée de ce phénomène grâce à l'enquête menée en 1877-1879 dans les registres paroissiaux à l'initiative du recteur Maggiolo. Quelque 16 000 instituteurs mobilisés pour la circonstance avaient relevé les signatures des jeunes époux pour les années 1686-1690 et 1786-1790 (en ce qui concerne l'Ancien Régime car le sondage s'était poursuivi au XIXe siècle). L'enquête a permis de constater qu'à la fin du XVIIe siècle 14% seulement des nouvelles épouses et 29% des maris étaient capables de signer leur acte de mariage, tandis que les pourcentages montent respectivement à 27% et 47% un siècle plus tard. Evidemment la proportion des signatures ne varie pas seulement en fonction du sexe, mais de critères géographiques et sociaux. Une ligne idéale devenue fameuse, celle qui relie Saint-Malo à Genève, sépare grosso modo une France qui sait relativement bien signer au nord-est d'une France qui le sait fort peu au sud-ouest. Le privilège des villes sur les campagnes est visible partout et, bien sûr, le pourcentage des signatures augmente au fur et à mesure que l'on progresse dans la hiérarchie sociale [18]. Certes, le fait de savoir tracer les lettres de son nom n'est pas une preuve absolue de l'aptitude à la lecture, mais c'est un indice qui compte : les Français du temps de Louis XVI ont plus souvent un accès direct à l'imprimé que leurs aïeux sujets du Roi-Soleil. La diffusion des idées nouvelles dépasse d'ailleurs de beaucoup les milieux alphabétisés. On lit fréquemment à haute voix journaux et livres dans les cabinets de lecture, les cafés voire les promenades, et les idées sont ensuite colportées de bouche à oreille, avec toutes les interprétations et déformations que cela suppose.

La vie associative facilite beaucoup les choses. Les

dernières décennies de l'Ancien Régime ont bénéficié à cet égard de la multiplication des cercles culturels qui furent autant de relais pour la critique sociale et politique. Ces sociétés prennent les formes les plus diverses, des très officielles académies aux cafés et aux salons privés.

Nous connaissons bien les académies de province grâce à la thèse de Daniel Roche [19]. A la fin de l'Ancien Régime, elles ont déjà presque toutes une longue vie derrière elles puisque la plupart ont été fondées dans les deux premiers tiers du XVIIIe siècle voire au temps de Louis XIV. La décennie 1780 n'a connu que trois créations nouvelles : à Grenoble, Valence et Orléans. Dans cette dernière ville une « *Société de personnes zélées pour le progrès des sciences physiques...* » constituée en 1781 fut érigée trois ans plus tard en Société Royale de Physique, d'Histoire naturelle et des Arts et reçut en 1786 des lettres patentes qui la transformaient en Académie royale. Ce fut sans doute l'ultime création sous la monarchie absolue [20]. Il y avait désormais des académies dans toutes les villes importantes avec toutefois une nette sous-représentation du Centre, de l'Ouest et du Massif Central puisque des villes comme Rennes, Nantes, Tours, Poitiers, Bourges, Limoges n'en ont jamais eu.

Les académiciens constituent seulement une petite partie des notables des villes académiques : environ 10%, encore ne s'agit-il que des hommes car cette sociabilité de l'élite est interdite aux femmes. Toutefois, par le biais des concours qui représentent la principale manifestation de leur vitalité, les académies ont un rayonnement bien supérieur. A cette occasion elles s'ouvrent à toute la région, voire à la nation entière. Le succès des concours est en effet extraordinaire. Leur multiplication en témoigne : alors qu'on en compte seulement 48 dans la première décennie du XVIIIe siècle, il y en eut 618 dans les années 1780. Beaucoup de jeunes intellectuels multiplient les dissertations parce que les concours sont pour eux à la fois une tribune et un moyen de se faire remarquer. Il faut dire qu'il y avait des précédents illustres de célébrité acquise à la suite d'un concours : celui, notamment, de Rousseau dont le *Discours sur les sciences et les arts* avait été couronné par l'Académie de Dijon en 1750.

Bien qu'elles soient des sociétés tout à fait officielles, les académies assurent une certaine promotion des idées des Lumières, avec quelque prudence il est vrai. Les académiciens mettent rarement au concours des thèmes religieux ou politiques mais, à mesure que s'écoule le siècle, on aborde de plus en plus fréquemment ces domaines sous couvert de sujets historiques ou scientifiques qui tendent à reléguer les traditionnelles Belles-Lettres. Dans les dernières années de l'Ancien Régime quelques académies mettront même au concours des sujets vraiment audacieux : ainsi celle de Metz proposant, en 1783, de disserter sur les peines infamantes puis, successivement à partir de 1786, sur les bâtards, les Juifs et le patriotisme.

D'autres types de sociétés culturelles se sont multipliées à la fin de l'Ancien Régime. Ainsi les Sociétés royales d'Agriculture, protégées et surveillées elles aussi par l'Etat. Elles se sont généralement mises en place autour de 1760 à l'initiative de grands propriétaires ou des intendants influencés par les économistes. Celle d'Orléans, créée en 1762, applique à la région les grandes idées physiocratiques et n'hésite pas à formuler des critiques parfois assez hardies : par exemple sur le rôle économique de l'Eglise, la ponction fiscale, le nombre trop élevé des fêtes chômées, etc. [21]

Il existe aussi des cercles moins officiels. Ainsi les

sociétés littéraires qui prolifèrent en province au temps de Louis XVI. Elles tissent un réseau secondaire entre les villes d'académies ou, comme dans l'Ouest, comblent les lacunes du mouvement académique [22]. Leurs réunions sont d'abord consacrées aux divertissements : on joue, on organise des lectures, on fait la conversation. Elles offrent pourtant bien des occasions de traiter de problèmes historiques, économiques ou scientifiques, qui ont une incidence politique.

Les chambres de lecture sont encore plus nombreuses et ouvertes à un plus large public. Contre un droit d'entrée et une cotisation annuelle, on peut consulter livres et journaux et participer aux discussions. Toutes les villes ont les leurs, même parfois de bien petites. Ainsi, en 1783, à Saint-Gilles-sur-Vie en Bas-Poitou, une vingtaine de personnes, nobles, prêtres, bourgeois, officiers de l'armée, fondent une chambre de lecture qui s'interdit tout ce qui serait « *contraire à la décence, aux mœurs, à la religion* » [23]. Dans les années 1780, la mode anglaise donne le nom de « *club* » à certaines de ces réunions. Il semble que les plus anciens clubs parisiens soient nés entre 1782 et 1785. Ainsi le club des chevaliers de Saint-Louis ou le club olympique qui réunit cent dames de qualité... et quatre hommes de la Cour et de la ville [24]. Ces associations avaient surtout pour but d'organiser les loisirs ou la bienfaisance ; ce n'est qu'avec la perspective de la réunion des Etats Généraux qu'elles se passionneront pour la politique. On lit dans la *Correspondance secrète* à la date du 14 avril 1784 : « *Les clubs se multiplient tous les jours à Paris. Les hommes y sont des esclaves révoltés qui secouent le joug des femmes* » [25].

Par contre, dès la guerre d'Indépendance américaine, les discussions politiques ont eu tendance à supplanter dans les salons les grands débats philosophiques des décennies précédentes. Et l'on n'y parle pas seulement de la liberté des Insurgents mais de celle des Français contre le « *despotisme ministériel* », ou encore du rôle que peut jouer la noblesse dans l'économie ou du rachat des droits féodaux. Certes, les salons parisiens les plus illustres disparaissent dans les premières années du règne de Louis XVI. En 1776, meurt Julie de Lespinasse, ainsi que le prince de Conti qui présidait la Société du Temple, et Madame Geoffrin est atteinte de paralysie. Madame du Deffand s'éteint à son tour en 1780 et Madame d'Epinay en 1783. Mais il reste parmi les grandes hôtesses Madame Necker, dans le salon de laquelle s'épanouit sa fille Germaine de Staël, et la veuve d'Helvétius, à Auteuil. Il y a aussi, plus modestes, ces « *bureaux d'esprit* » qui s'ouvrent dans le salon de bourgeoises cultivées. Enfin, chaque ville de province a ses salons qui rassemblent les notables à jour fixe. Incontestablement, ces réunions plus ou moins brillantes font beaucoup pour la publicité des idées nouvelles et la formation de l'opinion. Les plus grands salons de la capitale sont des bancs d'essai pour les œuvres philosophiques ou littéraires. Rappelons que c'est en multipliant les lectures du *Mariage de Figaro* dans ces cercles privés que Beaumarchais fit connaître sa pièce. Il put ainsi jouer de l'opinion publique et faire pression sur le pouvoir [26].

Enfin, en province comme dans la capitale, les débits de boisson sont également propices à des réunions informelles où l'on agite des idées plus ou moins contestataires. Chaque milieu social a les siens, des cafés philosophiques de Paris à réputation européenne, comme *le Procope* ou *le Régence,* aux tripots les plus infâmes [27].

Parmi les cercles culturels, il faut faire une place

particulière aux loges francs-maçonnes, surtout en raison du débat qu'a suscité leur rôle dans la diffusion des idées nouvelles et le déclenchement de la Révolution [28].

La franc-maçonnerie est apparue en France vers 1725, transplantée d'Angleterre. Elle s'est beaucoup développée depuis 1760. Les créations des loges s'accélèrent même dans les années 1780 au point qu'à la fin de l'Ancien Régime on en compte environ 650 qui regroupent 35 à 50 000 membres. La maçonnerie couvre alors l'ensemble du territoire mais avec une intensité inégale, les bocages de l'Ouest, une grande partie de la France centrale et du bassin de la Loire étant nettement moins bien pourvus que les autres régions [29]. On dit que les loges sont « *secrètes* » : cela signifie surtout qu'elles n'ont aucun caractère officiel mais sont du domaine privé, car l'Etat, qui a essayé de les interdire au temps du cardinal de Fleury, les tolère désormais tout à fait. De très grands noms de l'aristocratie illustrent la franc-maçonnerie, à commencer par le duc de Chartres, cousin du roi, installé en 1773 grand maître du Grand Orient de France.

Les loges ont sans doute contribué à diffuser les idées nouvelles, mais avec un zèle très inégal. Celles de Toulouse ont été minutieusement étudiées par Michel Taillefer. Elles s'avèrent fort prudentes au plan religieux, multipliant les manifestations d'allégeance à l'Eglise catholique. Loin de remettre en cause le christianisme, elles le considèrent comme le fondement indispensable de la société. Elles ne montrent guère d'intérêt pour la recherche scientifique, n'ayant ni laboratoire, ni bibliothèque ; d'ailleurs, elles attirent peu la communauté savante de la capitale languedocienne. Bien sûr, les maçons toulousains utilisent à foison le vocabulaire des Lumières, ils pratiquent les vertus à la mode, la bienfai-

191

sance notamment, ils proclament bien haut leur idéal égalitaire mais cela semble correspondre plutôt à une exigence morale destinée à faciliter les rapports internes entre les membres qu'à un but politique qu'il faudrait inscrire dans la réalité. « *Fidèle aux prescriptions de l'Eglise catholique,* conclut Michel Taillefer, *soumise aux lois de l'Etat, refusant de s'aventurer sur le terrain de la lutte intellectuelle, démentant par son comportement quotidien son idéal égalitaire, la franc-maçonnerie ne fut à Toulouse qu'un véhicule parmi d'autres, et non le plus actif, des idées nouvelles* » [30].

En fait la maçonnerie a prêté son concours à l'expansion d'une sorte de fonds commun idéologique des Lumières fait de principes assez diffus : aspiration fondamentale à la liberté de pensée et de parole, aspiration plus formelle à une certaine égalité. Mais, comme c'est généralement le cas dans la pensée du XVIIIe siècle [31], cette égalité revendiquée est civile plus que sociale. Aristocratie et bourgeoisie ne fraient généralement pas dans les mêmes loges, dont chacune a une relative homogénéité sociologique. La maçonnerie pratique d'ailleurs, globalement, un certain élitisme. En Touraine, les nobles représentent 20% des maçons, le clergé 6%, la bourgeoisie formant le reste [32]. A Toulouse aussi la haute et moyenne bourgeoisie domine de façon écrasante (60% des Frères) et la noblesse est largement sur-représentée (20% environ) tandis que les petits bourgeois constituent moins de 12% des maçons et les classes populaires 1% seulement. Les loges toulousaines rassemblent des hommes parmi les mieux considérés de la cité, et aussi les plus riches. La fortune moyenne des maçons décédés pendant la Révolution dépasse 138 000 livres alors que celle de l'ensemble des Toulousains laissant une succession positive n'atteint pas 30 000 livres [33].

Le fonds commun des Lumières — cette revendication diffuse de la liberté et de l'égalité que véhiculent *Le Mariage de Figaro* et avec lui les livres, les journaux, les pamphlets et toutes les institutions associatives — nous semble traduire, en dernière analyse, une aspiration à l'œuvre au plus profond de la société, celle de l'épanouissement individuel, en complète contradiction avec les principes et les pratiques de l'Ancien Régime.

Les mentalités anciennes accordaient en effet au groupe le primat sur l'individu. La famille était plus importante que chacun de ses membres, le métier plus que le travailleur, la paroisse plus que le paroissien. Chaque personne était enserrée dans toute une série de solidarités horizontales ou verticales. L'irrésistible affirmation de l'individualisme remet en cause la cohésion des groupes et conteste, de façon plus ou moins sourde, toutes les hiérarchies, ce qui ébranle la société entière.

Au sein de la famille par exemple, on perçoit une revendication diffuse à plus d'indépendance, à plus de considération de tous ceux qui sont placés en situation subordonnée : les épouses, les enfants, les domestiques. L'autorité de droit divin de l'homme — mari, père, maître — est mise en question. Sans douter, pour la plupart, de l'existence d'une hiérarchie que les Lumières prétendent d'ailleurs fonder sur la supériorité naturelle, biologique, de l'homme, les épouses « *éclairées* » réclament de leur mari la tendresse, la considération, la liberté aussi qu'à leur façon revendiquent les femmes du *Mariage de Figaro* : la comtesse, Suzanne et Marceline, la plus hardie de toutes. On tolère de moins en moins l'arbitraire du père et de la mère décidant de la carrière du fils, du mariage ou de la prise de voile de la fille. La relégation au couvent d'une enfant contre son gré s'était fort raréfiée à la fin de l'Ancien Régime car les autorités religieuses se souciaient peu de faire de telles recrues, mais les écrivains des Lumières font un succès du thème de l'enfermement des filles malgré elles, car cela n'est plus toléré par l'opinion publique. Diderot le savait bien, qui avait écrit *La Religieuse* dès 1760. Il semble que, dans la pratique, les parents prennent de plus en plus en compte les vœux de leurs enfants pour le choix d'un conjoint, même si tous n'ont pas la complaisance du père Phlipon devant les caprices de Manon, la future Madame Roland.

Ce sont surtout les lettres de cachet que condamne l'opinion publique éclairée, comme symbole et preuve de l'arbitraire parental, même si dans la réalité une demande d'internement témoignait peut-être plus de l'impuissance du père à se faire obéir que de sa tyrannie. En 1782 paraît le plaidoyer de Mirabeau, *Des lettres de cachet et des prisons d'Etat*, et l'année suivante les *Mémoires sur la Bastille* de Linguet [34]. Ces ouvrages participent à l'évolution des esprits, mais ils ne sont pas les seuls. En fait, tout un courant hostile aux « *ordres du roi* », nom officiel des lettres de cachet, se développe dans la seconde moitié du siècle. Au temps de Louis XVI, les parlementaires eux-mêmes dénoncent un instrument de « *despotisme* » qui, il est vrai, dessaisit la justice ordinaire voire les frappe de temps à autre. En 1784, année où Figaro ose évoquer en scène ce « *pont d'un château fort, à l'entrée duquel* [il a laissé] *l'espérance et la liberté* », Breteuil, secrétaire d'Etat à la Maison du Roi, fait examiner par les intendants la situation de toutes les personnes détenues en vertu d'une lettre de cachet. Il écrit dans sa circulaire : « *Une personne majeure, maîtresse de ses droits, et n'étant plus sous l'autorité paternelle ne doit pas être renfermée (…) toutes les fois qu'il n'y a point de délit qui puisse exciter la vigilance du ministère public et donner matière à des peines dont un préjugé très déraisonnable, mais qui existe, fait retomber la honte sur toute la famille* » [35].

Les hommes des Lumières ne prennent pas seulement la défense des épouses et des enfants, mais parfois même celle des domestiques. Ils le font à la fois au nom du christianisme qui proclame l'égalité originelle des créatures et la commune dignité que leur a conféré le rachat par le sang du Christ [36], et au nom de la philosophie et du droit de nature. En 1750 était parue une sorte de défense et illustration de la condition domestique, *L'auteur laquais*, qui contenait déjà certaines des hardiesses que Beaumarchais a fait résonner de tout son talent dans *Le Barbier de Séville* et *Le Mariage de Figaro* [37].

On pourrait fournir, hors de la famille, d'autres signes de l'évolution des mentalités dans le sens d'une revendication de la liberté, de l'égalité, de la dignité. Par exemple celui que donne Louis-Sébastien Mercier quand il affirme, dans son *Tableau de Paris* publié entre 1781 et 1788 que l'insubordination «*est visible dans le peuple depuis quelques années et surtout dans les métiers. Les apprentis et les garçons veulent se montrer indépendants ; ils manquent de respect au maître, ils font des corporations* » (entendons d'éphémères «*coalitions*» pour défendre leurs droits), ils transforment leurs ateliers en tabagies et gardent le chapeau sur la tête devant le bourgeois [38].

Autant d'attitudes protestataires, autant de gestes symboliques qui témoignent d'un profond malaise social et des craquements du monde ancien. Ce qu'il reste de la société d'ordres à la fin du XVIIIᵉ siècle, avec ses états, ses conditions, réglés par une hiérarchie minutieuse dont le ressort est l'autorité de droit divin déléguée de rang en rang depuis le roi jusqu'au plus infime détenteur d'un quelconque pouvoir, subit les mille coups de boutoir de ceux qui veulent fonder l'Etat et la société sur d'autres bases : le mérite, les « *talents* », la propriété.

Les deux mondes, l'ancien et le nouveau (ou si l'on préfère la société d'ordres et la société de classes qui cherche à la remplacer), ont chacun leurs soutiens naturels. Le premier s'appuie sur la tradition de l'Eglise catholique et sur la masse de la noblesse, même si de très nombreux clercs ou nobles sont gagnés aux idées nouvelles. Pour l'essentiel, les deux premiers ordres restent attachés au critère de la naissance, aux privilèges, qu'ils justifient, en dernière analyse, comme étant l'expression de la volonté de Dieu. Le principal artisan de l'éclosion du nouveau monde, tenant d'une société dans laquelle la fluidité des conditions serait assurée par l'argent, est évidemment la bourgeoisie, même si ce terme, outrancièrement simplificateur, s'accommoderait mieux du pluriel, tant il est vrai qu'il existe bien des bourgeoisies dont certaines, vivant de la rente seigneuriale ou des offices, sont attachées de toutes leurs fibres à la continuation de l'Ancien Régime.

Entre les principes du droit divin, du droit de la naissance, et ceux du « *talent* », de la propriété, de l'argent, entre les intérêts sociaux qui les sous-tendent et les politiques à mettre en œuvre pour satisfaire ces intérêts, la monarchie, pour son malheur, n'a jamais su choisir vraiment, ne cessant d'osciller entre le conservatisme et la réforme.

Les hésitations de la monarchie

Le 10 mai 1774, lorsque Louis XVI accède au trône, ce jeune homme de moins de vingt ans doit prendre une décision redoutable. Faut-il garder ou renvoyer le dernier ministère mis en place par son grand-père : Maupeou à la chancellerie, l'abbé Terray aux finances, le duc d'Aiguillon aux Affaires étrangères ?

L'enjeu était considérable car ce que l'on appelle le « *Triumvirat* » (en fait plus spécialement le chancelier Maupeou) avait tenté de sauver l'absolutisme en permettant une expérience de « despotisme éclairé » à la française. Il avait pour cela brisé l'obstacle à toute réforme de structure : les parlements. Ces derniers, en effet, n'avaient cessé de s'opposer au changement, notamment à l'indispensable réforme fiscale qui, établissant l'égalité de tous les propriétaires devant l'impôt, privilégiés compris, aurait permis d'éviter la banqueroute et de sauver le régime. L'édit du 23 février 1771 avait en effet cassé la puissance du Parlement de Paris, notamment en démembrant son immense ressort par la création de cinq Conseils supérieurs et en supprimant la vénalité des offices, fondement de l'indépendance de la Magistrature à l'égard de la Couronne. Malgré les cris et l'agitation des gens de robe, la réforme étendue aux parlements de province, avait assez bien fonctionné. Les nouveaux parlements, ainsi que les Conseils supérieurs, avaient pu être mis en place sans trop de problèmes, les magistrats des anciennes Cours ayant été exilés, à Paris et dans plusieurs villes de province [39].

Le coup de force de Maupeou, en affaiblissant le monde du privilège, avait fait sauter un des verrous essentiels qui empêchaient la modernisation de la monarchie. Au moment de la mort de Louis XV, la partie pouvait être gagnée si son petit-fils faisait preuve de fermeté. Mais, on le sait, Louis XVI était l'irrésolution même : « *Imaginez*, dit de lui son frère, cette mauvaise langue de Provence, *des boules d'ivoire huilées que vous vous efforceriez vainement de retenir ensemble* » [40].

Le jeune roi était ballotté entre les influences contraires des coteries de Versailles. Malgré sa méfiance personnelle pour les parlementaires, il finit par choisir d'abandonner les ministres de Louis XV et par là même, la réforme salvatrice. C'était la voie que lui conseillaient Maurepas que Louis XVI avait choisi pour mentor et les partisans de Choiseul qui poursuivaient d'Aiguillon de leur haine. C'était la voie que désirait la majorité de l'opinion publique qui détestait les ministres, Terray surtout, et voyait dans les parlementaires ces « *Pères du peuple* » qu'ils prétendaient être, à la fois représentants de la Nation et son rempart contre le « *despotisme ministériel* » alors qu'en fait ils ne représentaient qu'eux-mêmes et défendaient farouchement leurs privilèges. Beaumarchais avait d'ailleurs largement contribué à jeter le discrédit sur la réforme et le « *Parlement Maupeou* » dans ses talentueux *Mémoires contre Gœzman* [41].

Le premier acte majeur de Louis XVI fut donc, le 2 juin 1774, le renvoi du duc d'Aiguillon qui fut remplacé aux Affaires étrangères par Vergennes qui devait être une des chevilles ouvrières de tous les ministères jusqu'à sa mort en 1787. Puis ce fut, le 24 août, la « *Saint Barthélémy des ministres* » selon le mot de l'ambassadeur espagnol Aranda, c'est-à-dire le renvoi de Maupeou et Terray. Dès lors le retour des parlements n'était plus qu'une question de temps : le 12 novembre un « *lit de justice* » au Palais rétablit solennellement celui de Paris qui recouvrait tout son ressort. Les Conseils supérieurs étaient supprimés, la vénalité des offices restaurée.

Cette politique déclencha une explosion de joie dans la capitale et les villes de province où les anciens parlements furent successivement réinstallés. Ce fut une grande faute pour la monarchie. Celle-ci pensait sans doute s'attacher les magistrats par la reconnaissance mais cela s'avéra une erreur de calcul. Ils rentraient en triomphateurs, donc en position de force, mais également aigris par certaines précautions qu'avaient prises le nouveau gouvernement : interdiction de faire grève et de démissionner en bloc, résurrection du Grand Conseil composé d'anciens membres du Parlement Maupeou qui pourrait se substituer aux magistrats si ceux-ci refusaient l'enregistrement des actes législatifs. Dès le 30 décembre 1774 le Parlement de Paris adopta des remontrances contre ces dispositions.

L'abandon de la réforme de Maupeou signifiait en fait le choix du conservatisme. Sans doute l'opposition parlementaire sera plus feutrée dans les premières années de Louis XVI que sous le règne précédent, mais les magistrats ne perdront aucune occasion de manifester leur solidarité avec l'ensemble des privilégiés. S'opposant avec acharnement à la réforme fiscale, ils finiront par acculer le roi à convoquer les Etats Généraux, contribuant donc largement à déclencher le processus révolutionnaire.

Jusqu'à cette année 1784 qui nous sert de référence, Louis XVI eut, par deux fois encore, l'occasion d'opter pour la réforme, sous des aspects différents certes, voire partiellement opposés, par le truchement de Turgot et de Necker.

Turgot avait accédé au gouvernement dès le 20 juillet 1774, mais ce n'est que le 24 août qu'il avait échangé le poste relativement modeste de secrétaire d'Etat à la Marine pour le portefeuille le plus important du ministère, celui de Contrôleur général des Finances.

Ce grand commis de l'Etat, homme d'intelligence et de culture, était l'ami des physiocrates dont il avait eu l'occasion de mettre en œuvre certaines de leurs idées comme intendant de Limoges [42]. Il essaya de faire triompher les thèses libérales lors de son passage au Contrôle général. Ses deux réformes essentielles, en 1774 et 1776, vont dans ce sens.

La première est l'édit du 13 septembre 1774 qui établit la liberté du commerce des grains. En fait, cette décision s'intègre dans le processus de conversion de l'Etat au libéralisme économique. Une évolution lente, non sans hésitations et retours au dirigisme, qui symbolise à elle seule les tâtonnements de la monarchie dans les principaux domaines de la politique. Dès 1763, le Contrôleur général Bertin, avait fait autoriser la libre circulation des blés de province à province. L'année suivante Laverdy, son successeur, avait fait adopter par le Conseil un édit que Bertin avait préparé mais n'avait pas eu le temps de mettre en œuvre et qui accordait la liberté d'exportation à l'étranger en cas de récoltes suffisantes dans le royaume. Cependant, en 1770, l'abbé Terray avait pris un certain nombre de décisions qui marquaient le retour à un réglementarisme modéré : interdiction d'exporter les grains hors de France ; liberté de principe maintenue en ce qui concerne le commerce intérieur, mais une liberté paralysée en fait par des « *règles de marché* » contraignantes qui décourageaient le stockage, le transport et le commerce par les producteurs eux-mêmes.

Le 13 septembre 1774, Turgot ne revient pas sur l'interdiction d'exporter les blés à l'étranger. Il n'a pas non plus à libérer la circulation de province à province puisqu'on n'avait jamais abandonné le principe adopté en 1763, mais il supprime les « *règles de marché* » ce qui revient à accorder la liberté aux producteurs.

Turgot n'eut pas de chance, ou peut-être manqua-t-il de flair politique en ne tenant pas compte de la conjoncture économique. La récolte de 1774 avait été médiocre et les prix commencèrent à augmenter à la fin de l'année. En avril-mai 1775, la peur de manquer déclencha un vaste mouvement de révolte, de la Bourgogne à l'Ile-de-France et à la Picardie, la « Guerre des Farines ». Tous les adversaires du Contrôleur général, parmi lesquels Grimm, Buffon, Diderot, et aussi les parlementaires mécontents d'avoir été dessaisis du soin de juger les révoltés au profit d'une commission prévôtale extraordinaire, exploitèrent les événements contre Turgot. Ils montèrent en épingle un brûlot de Necker, *Sur la législation et le commerce des grains* où le banquier genevois défendait l'idée d'une liberté limitée et bien contrôlée [43].

Mais Turgot avait pour lui une bonne partie de l'opinion éclairée : les physiocrates naturellement et certains philosophes parmi les plus grands. Ainsi Condorcet, Morellet et surtout Voltaire. Il avait encore pour lui la confiance du roi qui imposa ses volontés au Parlement en lit de justice (5 mai 1775) et renforça la position de Turgot au gouvernement en faisant entrer son ami Malesherbes à la Maison du Roi puis le comte de Saint-Germain à la Guerre. Avec ces trois hommes était constituée l'ossature d'un grand ministère des Lumières.

L'appui du roi permit à Turgot de faire passer un deuxième train de réformes grâce aux édits de février 1776. Les trois principaux d'entre eux renforcent l'engagement de l'Etat en faveur du libéralisme économique. L'un supprime la « *police* » sur les grains propre à la capitale, achevant par conséquent l'œuvre entamée en septembre 1774. Un deuxième remplace la corvée royale pour l'entretien des routes par une imposition en argent payable par tous les propriétaires fonciers sans distinction. Cette législation avait certes des buts économiques (éviter d'arracher les paysans aux utiles travaux des champs) mais sa finalité profonde était politique. Première brèche dans le privilège fiscal, elle laissait présager l'établissement de l'égalité totale devant l'impôt et devant la loi. Le troisième édit, enfin, le plus important, supprimait jurandes, maîtrises et corporations. Quiconque pourrait ouvrir une boutique ou un atelier après une simple déclaration aux autorités. Seules étaient maintenues quelques maîtrises érigées en offices, en raison de la surveillance policière qu'il fallait exercer sur ces métiers : celles de barbier, perruquier, étuviste, pharmacien, orfèvre, imprimeur et libraire. L'importance de cet édit ne tient pas seulement aux décisions prises, mais aussi à la philosophie qui ressort de son préambule, véritable proclamation de l'idéal physiocratique où était affirmé le droit sacré au travail, propriété imprescriptible de l'individu élevé au rang de droit de nature. La liberté du travail y était parée de tous les bienfaits : les prix baisseraient, la routine reculerait, l'industrie serait délivrée d'un « *impôt énorme* », celui des frais des procès corporatifs.

Les nouveaux édits poussèrent le Parlement au combat. Ses remontrances du 4 mars 1776 non seulement prouvent une nouvelle fois l'attachement de la Magistrature aux privilèges, mais révèlent la véritable nature de l'enjeu : la survie de la société d'ordres. Les parlementaires refusaient une réforme qui tendait « *à établir entre les hommes une égalité de devoirs et à détruire ces distinctions nécessaires, amènerait bientôt le désordre, suite inévitable de l'égalité absolue, et produirait le renversement de la société civile (...)* » [44]. C'est bien ainsi d'ailleurs que l'édit de suppression des jurandes était interprété, si l'on en croit L.-S. Mercier, par ces compagnons parisiens qui multiplièrent les actes d'« *insubordination* » [45]. Louis XVI répondit aux magistrats qu'il n'entendait pas « *confondre les condi-*

202

tions » et dépouiller la noblesse de ses privilèges. Le Parlement vota des «*itératives remontrances*» mais le roi tint bon et, le 12 mars, à Versailles, un lit de justice l'obligea à enregistrer les édits.

Cependant, l'opposition parlementaire avait ébranlé les certitudes du monarque d'autant qu'avec les magistrats, le clergé, la plupart des privilégiés de l'impôt, les grandes familles de maîtres bénéficiant du système corporatif (notamment celles qui dominaient les métiers les plus puissants de Paris, les fameux «*six corps*») s'étaient prononcés contre Turgot. Les Lumières elles-mêmes étaient divisées : tout un secteur de la «*philosophie*» se rassemblait derrière Necker qui apparaissait comme l'homme du recours.

A Versailles, Turgot avait des adversaires parmi les plus haut placés : la reine elle-même ou Monsieur, le comte de Provence, à qui l'on attribuait des pamphlets très virulents. L'un d'eux, *Les Mannequins*, qui avait pour cadre une Perse de fantaisie, ridiculisait le principal ministre, sous l'anagramme de «*Togur*», et le roi lui-même, le grand «*sophi*», complètement «*togurisé*» rabaissé au rang de «*premier mannequin du royaume*». Maurepas enfin, ulcéré d'avoir été tenu à l'écart au moment de la Guerre des Farines et plus encore vexé que le roi n'ait pas tenu compte de ses avis hostiles aux édits, travaillait à perdre le ministre dans l'esprit de Louis XVI. Turgot crut habile de mettre le roi au pied du mur : ou bien il le gardait au Contrôle mais en le soutenant franchement et en lui donnant les moyens de sa politique, ou bien il le renvoyait immédiatement. Il adressa au roi une série de lettres très osées («*N'oubliez jamais, Sire, que c'est la faiblesse qui a mis la tête de Charles Ier sur un billot* (...). *On vous croit faible, Sire, et il est des occasions où j'ai craint que votre caractère n'eût ce défaut* (...)») [46]. Ces maladresses ne firent qu'accélérer sa disgrâce, qui fut consommée le 12 mai 1776. Le renvoi de Turgot était le deuxième recul de Louis XVI devant le Parlement et les privilégiés. A plus ou moins courte échéance, toutes les réformes furent abrogées, les corporations et la corvée royale rétablies.

Cependant, une troisième occasion de réforme, sur un mode différent, allait être offerte à Louis XVI, en la personne de Necker, l'homme à la mode, l'anti-Turgot. Il dirige le ministère à partir du 22 octobre 1776 avec le titre de Directeur général du Trésor royal. Ce protestant étranger ne pouvait en effet accéder au Contrôle général. La charge fut occupée, de façon purement formelle, par un conseiller d'Etat, Taboureau des Réaux, ancien intendant de Valenciennes puis, après sa démission en juin 1777, elle resta vacante, Necker prenant alors le titre de Directeur général des Finances [47].

Necker ne partageait pas l'admiration de Turgot pour les physiocrates. Dès 1773, il avait fait paraître un *Eloge de Colbert* au titre significatif qui l'avait placé dans le camp des anti-libéraux, de façon quelque peu abusive d'ailleurs car sa pensée était plus subtile. Le pamphlet qu'il publia à la fin d'avril 1775 alors que la Guerre des Farines faisait rage (*Sur la législation et le commerce des grains*), en le brouillant tout à fait avec Turgot, acheva de faire de lui le porte-drapeau des adversaires de la « *Secte* ». En fait, ce n'est point dans le domaine économique que le nouveau ministre allait faire porter ses efforts. En matière de commerce des grains, il adopta une politique du juste milieu, conformément à son mémoire de 1775 : en ce qui concerne le commerce intérieur, libre circulation mais assortie de l'interdiction de vendre hors des marchés ; pour ce qui est de l'exportation, interdiction en années médiocres ou normales, liberté en cas de récoltes excédentaires.

C'est dans le domaine des finances, sa spécialité professionnelle, et dans celui de l'administration, que Necker allait s'appliquer à la réforme.

Le problème financier était d'autant plus grave que la guerre avec l'Angleterre se profilait à l'horizon. Elle nécessiterait tous les ans 150 millions de recettes supplémentaires. Pour cela, deux moyens : l'impôt et l'emprunt. Hostile par principe à l'impôt foncier unique dont rêvaient les physiocrates, Necker se borna à apporter de modestes retouches au système fiscal. Il recourut par contre de façon massive à l'emprunt, sous toutes ses formes. C'était pour lui la loi et les prophètes : l'impôt devait financer les dépenses ordinaires, l'emprunt les dépenses extraordinaires, par conséquent la guerre. En outre, l'appel aux épargnants avait le double avantage de ne prendre l'argent qu'à des sujets consentants, en évitant de faire payer les pauvres, et surtout d'esquiver l'affrontement avec les parlementaires que n'aurait pas manqué de susciter une augmentation d'impôts. Grâce à la confiance exceptionnelle dont jouissait le ministre dans l'opinion publique et surtout parmi les professionnels de la banque, les emprunts furent placés très facilement, certains étant couverts deux ou trois fois. Beaucoup de Français prirent à leur compte, et au premier degré, ce jugement moqueur de Mirabeau : « *Il a fait la guerre sans impôt ; c'est un dieu !* » [48].

Necker n'en resta pas aux expédients. Il s'appliqua à moderniser l'administration des finances en portant de rudes coups au système de la Ferme générale. Tout ce qui tendait à affaiblir la puissance des fermiers avait la faveur d'une partie au moins de la République des Lettres [49], des économistes et de l'opinion publique en général. Turgot déjà (c'est un point de continuité entre les deux ministères) avait pour principe de remplacer le système de la ferme par celui de la régie, c'est-à-dire par l'administration directe de l'Etat, mais il ne s'était pas cru assez fort pour abattre d'un coup ces Messieurs. Il s'était contenté de réformes partielles, notamment l'interdiction d'augmenter les croupes et le nombre des croupiers (les croupes étaient des parts de bénéfice versées par les fermiers à des individus — les croupiers — qui leur avançaient des capitaux, participant aux juteux profits du système). A l'occasion du renouvellement du bail de la Ferme en janvier 1780, Necker lui enleva la perception des aides, qu'il confia à la Régie Générale.

Mais la principale réforme du Genevois toucha l'administration des provinces. Là encore les intentions de Turgot et de Necker se sont rencontrées. L'ancien intendant du Limousin désirait faire participer les grands propriétaires à la gestion des affaires de leur région, en créant une hiérarchie d'assemblées qui les représenteraient. Il avait chargé Dupont de Nemours de rédiger dans ce but son *Mémoire sur les municipalités*. Necker, semble-t-il, n'avait pas eu connaissance de ce projet mais il avait eu de son côté une idée semblable. Il cherchait à réduire le pouvoir des intendants, de leurs subdélégués et de leurs commis. L'idéal était de les cantonner dans la « *police civile* » en confiant la « *police économique* » aux représentants de la Nation.

Necker tenta une première expérience en 1778 avec la création de l'assemblée provinciale du Berry. Présidée par l'archevêque de Bourges, elle était constituée de 48 propriétaires dont un tiers nommé par le roi, les autres étant cooptés. L'assemblée était chargée, sous le contrôle de l'intendant, de répartir et lever les impôts, diriger la construction des routes, créer des ateliers de charité, faire au roi toutes les représentations jugées utiles sur les règlements nécessaires à la généralité.

Outre la grande nouveauté d'associer de simples sujets à l'administration, la réforme en comprenait une autre, porteuse d'avenir : le Tiers-Etat bénéficiait d'une représentation double de celle de chacun des ordres privilégiés et l'on devait voter par tête et non par ordre, ce qui donnait aux roturiers toute chance d'emporter la majorité.

Trois autres assemblées provinciales devaient être créées au temps de Necker. Deux le furent en 1779, en Dauphiné et Haute-Guyenne (dans la généralité de Montauban) mais seule cette dernière fonctionna réellement. Celle du Dauphiné ne put être installée, notamment à cause de la rivalité des archevêques et évêque de Vienne, Embrun et Grenoble sur la présidence et le lieu de réunion. La généralité de Moulins (Bourbonnais) devait aussi être pourvue d'une assemblée, mais lors de la disgrâce de Necker les lettres patentes qui la concernaient n'avaient pas encore été enregistrées par le Parlement et le projet fut retiré. Il faudra attendre la réforme de Brienne, en juin 1787, pour voir le système des assemblées provinciales étendu à tous les pays d'élection.

La popularité de Necker était immense comme le montre le méchant mot de « *neckromanie* » lancé par Calonne pour désigner cette nouvelle maladie des Français. Dans les premiers temps, le ministre avait de nombreux défenseurs à la Cour : Maurepas, la coterie « *choiseuliste* », Marie-Antoinette elle-même. Tout un essaim de femmes faisait escorte à cet homme de mœurs austères, notamment celles de la mouvance de Choiseul dont la duchesse de Gramont, sœur du duc ou la comtesse de Brionne, sa maîtresse. Autre paradoxe, le ministre protestant avait le soutien des grands prélats politiques comme Boisgelin, Loménie de Brienne et encore Dillon, l'évêque de Narbonne, ou Champion de

Cicé, évêque de Rodez. Il était porté aux nues par tout un pan de la « *philosophie* » : Grimm, Buffon, Diderot, et autres habitués du salon de Madame Necker. Quant au roi, il était mal à l'aise avec son ministre et ne l'a vraiment jamais aimé. Du moins il lui était reconnaissant d'être populaire, et il lui savait gré de ne pas chercher à bouleverser de fond en comble l'Etat et la société comme l'avait fait craindre Turgot.

Dans la bourgeoisie éclairée, Necker s'était fait beaucoup d'amis parce qu'il refusait les impôts nouveaux, parce qu'il voulait mettre au pas les fermiers généraux, les intendants, parce qu'il employait le vocabulaire à la mode : la liberté, le bonheur des peuples, la bienfaisance. D'ailleurs, il mettait ses actes en accord avec son discours. On admirait la sollicitude du couple Necker pour les prisons, les dépôts de mendicité, les bureaux de charité, les hôpitaux. C'est l'épouse du ministre qui fut à l'origine, à la fin de 1778, de la fondation de l'hôpital qui porte le nom de son mari. On louait aussi Necker d'avoir fait adopter de grandes réformes humanitaires : l'abolition de la mainmorte dans les domaines du roi (août 1779), et celle de la question préparatoire, c'est-à-dire de la torture utilisée pour obtenir les aveux, qui était d'aileurs tombée peu à peu en désuétude.

La gloire de Necker atteignit son zénith lorsqu'il publia le fameux *Compte rendu au roi* (...) *au mois de janvier 1781*, qui parut, en fait, le 19 février. L'ouvrage se présentait comme un diptyque. La première partie était un tableau détaillé de l'œuvre du Ministre, un vibrant plaidoyer *pro domo*. La seconde partie, un état des recettes et des dépenses, était beaucoup plus nouvelle. C'était en effet la première fois qu'on livrait au public les comptes de la Nation. Necker cherchait surtout à renforcer son pouvoir en faisant appel à l'opinion, mais le *Compte rendu* fit l'effet d'une véritable révolution des mœurs politiques. Le succès en fut prodigieux : Panckoucke, l'éditeur, en tira plus de 100 000 exemplaires.

Cependant le Directeur des Finances se révéla fort optimiste dans ses calculs. Le *Compte rendu* faisait ressortir un excédent de recettes de 10 millions de livres alors qu'en réalité le Trésor enregistrera un déficit de près de 90 millions en 1781. C'est que Necker avait joué sur les mots, présentant un état «*pour l'année ordinaire*», c'est-à-dire ne prenant pas en compte les effets des circonstances «*extraordinaires*», la guerre notamment. Aussi le *Compte rendu* eut-il de nombreux détracteurs. Maurepas, qui avait pourtant introduit Necker au gouvernement mais qui avait pris ombrage de son influence sur le roi, ironisa sur le « *conte bleu* » et ne fut sans doute pas étranger à la campagne de libelles qui s'abattit sur le ministre. Les plus venimeux sont dus à la plume d'Augeard et à celle de Calonne. Le premier, un fermier général dont il est inutile de préciser le motif de sa rancœur, se répandait déjà depuis un an en brochures vengeresses contre Necker. Quant à Calonne, un brillant maître des requêtes pour l'heure intendant de Lille, il profitait de la circonstance pour se poser en candidat à la succession du Genevois.

En fait Necker avait contre lui un parti nombreux et puissant : des membres du clergé qui ne lui pardonnaient pas sa religion, des physiocrates et des philosophes, comme Condorcet, qui lui en voulaient d'avoir contribué à la chute de Turgot, le monde influent de la Finance autour des fermiers généraux qui d'ailleurs, de tradition, détestait la Banque dont était issu le Ministre, enfin et surtout les parlementaires.

Ces derniers avaient d'abord eu une attitude mitigée

envers le Directeur des Finances. A propos de la réforme provinciale par exemple, ils se réjouissaient de voir les intendants abaissés, mais d'un autre côté, ils étaient hostiles au doublement du Tiers Etat et au vote par tête. Ils craignaient par-dessus tout que ces assemblées ne deviennent un instrument qui permettrait au pouvoir de se passer des parlements. Leur crainte se trouva justifiée lorsqu'une indiscrétion leur fit connaître, en avril 1781, un Mémoire confidentiel adressé au roi par Necker en 1778, lors de l'établissement de l'assemblée de Bourges. Le Ministre s'y déclarait convaincu de l'intérêt que le gouvernement aurait à trouver devant lui une assemblée des trois ordres plutôt qu'un parlement pour l'enregistrement des lois fiscales, et il conseillait à Louis XVI de confiner les parlementaires dans leur rôle de juges. Dès lors ce fut la guerre : la Magistrature mit tout son poids du côté des ennemis du Directeur général des Finances.

Ebranlé une nouvelle fois par l'avalanche des critiques et des calomnies qui s'abattaient sur le ministère, le timide Louis XVI chercha des sûretés du côté de Vergennes à qui il demanda son avis sur le *Compte rendu*. Le jugement du Secrétaire d'Etat aux Affaires étrangères fut sévère. Il représenta au roi que Necker était en train de faire évoluer la monarchie vers un système à l'anglaise où le gouvernement cherchait à s'appuyer sur l'opinion publique, c'est-à-dire reconnaissait le principe de la souveraineté nationale. Louis XVI avait une tout autre idée de la fonction royale. Il croyait au droit divin et estimait de son devoir de léguer son pouvoir intact au dauphin dont on pouvait espérer que la reine était grosse [50]. Il décida donc d'abandonner Necker.

Comme naguère Turgot, le Directeur des Finances voulut forcer la main au roi. Il lui adressa un Mémoire dans lequel il demandait que Louis XVI impose au Parlement de Paris l'enregistrement des lettres patentes créant l'assemblée provinciale du Bourbonnais. Il y sollicitait aussi le titre de Ministre d'Etat qui lui aurait permis d'avoir accès au Conseil dont il était écarté jusque-là, comme étranger et protestant. Le 19 mai 1781, Louis XVI fit communiquer son refus à Necker qui donna aussitôt sa démission.

Le roi reculait donc devant les privilégiés, notamment la Magistrature, ainsi qu'il l'avait fait en 1774 et 1776. Il laissait passer une nouvelle occasion de réformer le système politique. Au début certes, Necker avait été appelé au pouvoir pour éviter la réforme proposée par Turgot. Mais lui-même s'était révélé réformateur dans un autre sens. Non seulement il avait essayé sincèrement de moderniser l'administration des Finances en favorisant sa reprise en main par l'Etat, grâce au recul de la Ferme, mais il avait une première fois tenté d'associer la Nation (tout au moins dans ses couches les plus riches) à l'administration provinciale.

Jusqu'en 1786, la France allait vivre dans l'irréel. Tout se passe comme si, pendant ces trois années, le gouvernement n'avait d'autre ambition que d'effacer les problèmes en les niant. Après le rapide passage de deux personnalités de second ordre au Contrôle Général (Joly de Fleury et Lefèvre d'Ormesson), c'est Calonne qui fut appelé au Ministère le 3 novembre 1783 [51]. La paix avec l'Angleterre était signée depuis deux mois, mais la situation financière héritée de la guerre était plus que préoccupante. La banqueroute menaçait et la confiance des banquiers s'était évanouie après le départ de Necker. En confiant à Calonne le Contrôle Général, c'est d'abord au technicien des finances, à l'administrateur de solide réputation que le roi s'adressait, mais c'était aussi au personnage qui s'était lui-même désigné naguère dans ses pamphlets comme le successeur du Genevois que Louis XVI demandait de relever le défi. L'homme était séduisant, pourvu de toutes les qualités et de tous les défauts de son époque : brillant, spirituel, léger. Considéré avec une certaine méfiance par les parlementaires, mais bien accueilli à la fois de la Banque et de la Finance, ainsi que des physiocrates (il prit Dupont de Nemours comme conseiller avec le titre de Directeur du Commerce), Calonne sut se concilier d'emblée le peuple et la Cour. Le rude hiver de 1783-84 lui permit de cultiver sa popularité auprès des pauvres gens en accordant trois millions de réduction d'impôts aux provinces éprouvées, en distribuant une somme égale en secours et en consacrant un million de livres aux réparations des routes et des ponts [52]. A Versailles, il eut l'appui de Vergennes, du comte d'Artois, du clan des Polignac et de la plupart des courtisans. Il sut multiplier les largesses pour désarmer les cabales. A défaut de la reine qui lui préféra toujours Necker, il séduisit le roi lui-même. Louis XVI le nomma Ministre d'Etat en janvier 1784, ce qui lui permit d'avoir accès au Conseil et, quelques mois plus tard, le fit grand trésorier de l'ordre du Saint-Esprit.

Alors commencent ces folles années qui laisseront dans la mémoire des privilégiés de la naissance ou de l'argent, le souvenir d'un incomparable bonheur de vivre, celui que symbolise si bien notre *Mariage de Figaro*. Calonne n'a pas de programme politique, tout au plus quelques idées simples : il faut stimuler l'économie par des mesures libérales comme le traité anglo-français de 1786 [53], afin d'augmenter la richesse nationale et donc le rendement de l'impôt. En somme, c'est d'une politique de relance qu'il s'agit, mais elle ne peut porter ses fruits qu'à long terme. D'ici là, l'emprunt fournira l'argent nécessaire, mais pour emprunter il faut rétablir la confiance. Le meilleur moyen, c'est de paraître riche et pour cela Calonne dépense à tour de bras, multipliant les grands travaux dans les villes, les ports, sur les routes ou les voies d'eau. La France entière semble se laisser griser et croire au retour de cet âge d'or si souvent décrit et espéré [54] . L'euphorie paraît gagner le roi lui-même. Pourtant, non seulement aucun grand problème n'est résolu, mais l'Etat en est réduit à vivre d'expédients, notamment ces fameux emprunts qui sans cesse alourdissent la dette. L'accumulation du déficit ne peut manquer de poser à nouveau le problème de la réforme fiscale. Calonne y sera acculé en 1786. Le *Précis d'un plan d'amélioration des finances* qu'il propose au roi à la fin du mois d'août prévoit une importante série de réformes, parmi lesquelles la mise en place de la « *subvention territoriale* » chère aux physiocrates, que devraient payer tous les propriétaires. Mais cela suppose l'abandon du privilège fiscal. Voilà la monarchie confrontée de nouveau aux Parlements... De l'impossibilité de les faire plier sortiront la convocation des Etats généraux et la Révolution.

CONCLUSION

En 1784, l'histoire de la France paraît s'accélérer. Le scandale du *Mariage de Figaro* est le premier d'une longue suite d'événements qui se bousculent comme sur un toboggan dont l'aboutissement serait la Révolution.

En 1785, c'est la fameuse Affaire du Collier. En traînant Marie-Antoinette dans la boue, tous les colporteurs de ragots, courtisans en mal d'épigrammes ou gazetiers et folliculaires en quête de sensationnel, contribuent à ruiner un peu plus l'image et le prestige de la monarchie. Pire, c'est par un prince de l'Eglise qui porte un des grands noms de l'aristocratie, le cardinal de Rohan, que le scandale arrive. Plus grave encore : le Parlement de Paris en innocentant, en 1786, l'évêque de Strasbourg, couvre de son prestige les pires insinuations sur « *l'Autrichienne* », ravi d'une occasion d'éclabousser le trône [1].

1786 marque également un retour brutal à la triste réalité financière. Après avoir entretenu pendant près de trois ans les rêves des Français, Calonne, attaqué par Necker [2], en butte à la résistance des privilégiés [3], aux tracasseries du Parlement qui rechigne de plus en plus à enregistrer les emprunts, présente le 20 août à Louis XVI son *Précis d'un plan d'amélioration des finances*. Au cœur de la réforme fiscale qu'il y propose, le remplacement des vingtièmes par une «*subvention territoriale*» que devraient payer tous les propriétaires, apparaît comme une provocation à l'ensemble des bénéficiaires du privilège.

1787 voit la convocation et l'échec de l'Assemblée des Notables. Calonne sait que les Parlements n'accepteront pas sa réforme. Il a eu l'idée de soumettre son plan à une assemblée de 147 notables (réunie le 22 février) qui, ne tenant son existence que du roi, devrait, pense-t-il, lui être soumise. Mais ces notables sont quasiment tous des privilégiés ; ils refusent la réforme et Calonne est congédié le 8 avril.

Son successeur au Contrôle Général, Loménie de Brienne, reprend à son compte le plan qu'il avait combattu lorsqu'il siégeait à l'Assemblée. Mais les notables ne veulent rien savoir. Brienne les renvoie le 25 mai. Il ne reste plus d'autre solution que de tenter de faire enregistrer les édits fiscaux par les Parlements. Commence alors l'habituel bras de fer entre le gouvernement et la Magistrature : remontrances du Parlement de Paris, lit de justice du roi et exil à Troyes des parlementaires (juillet-août 1787). Mais ce sont les Magistrats qui l'emportent. Les besoins immédiats du Trésor forcent Brienne à négocier le retour du Parlement dans la capitale afin de permettre au moins l'enregistrement d'un gros emprunt de 420 millions de livres. Cela fut fait dans la séance royale du 19 novembre contre promesse de réunir les Etats Généraux en 1792.

1788 voit l'échec du dernier sursaut de la monarchie. Le garde des sceaux Lamoignon, mettant ses pas dans ceux du chancelier Maupeou, tente une fois de plus de briser la puissance des Parlements. Ses édits de mai créent 47 tribunaux d'appel, sous le nom de « *grands bailliages* », et surtout privent les Magistrats de leur pouvoir politique en confiant à une Cour plénière l'enregistrement des actes législatifs et fiscaux. Mais devant l'hostilité de tous les privilégiés, le front commun de la bourgeoisie réformatrice et de la noblesse de robe contre la « *tyrannie* », l'agitation populaire dans les villes de parlement, réduit à merci par la gravité de la crise financière, le gouvernement est obligé de capituler. Un arrêt du Conseil du 8 août annonce la convocation prochaine des Etats Généraux. C'est une victoire des parlementaires qui n'ont cessé de dire que toute réforme fiscale passait par l'agrément des Etats. C'est aussi le signal de la disgrâce de Brienne et du rappel de Necker (24-25 août). Le processus révolutionnaire est bien enclenché. La réunion des Etats Généraux à Versailles, le 5 mai 1789, dans la mesure où elle signifie l'association de représentants élus de la Nation au gouvernement, annonce la fin de la monarchie absolue de droit divin.

A priori, on serait tenté de voir l'effet d'une logique inévitable dans les événements qui se succèdent de 1784 à 1789. Le scandale du *Mariage de Figaro* serait les prémices de la Révolution et le 27 avril une sorte de répétition générale du 14 juillet.

En fait, entre les dates et les événements qu'elles

symbolisent, les différences sont de taille. D'abord la violence physique est totalement exclue du *Mariage* et du scandale que la pièce a suscité. Le 27 avril 1784 est avant tout une fête et, si violence il y a, elle est fort contenue et se résout dans des ardeurs verbales. En outre, des deux acteurs principaux de la Révolution et singulièrement du 14 juillet, la bourgeoisie et le peuple, le second est quasiment absent du *Mariage de Figaro*. On ne peut dire, en effet, que le héros de la pièce soit le porte-parole des couches populaires. Domestique, donc par essence personnage hybride entre le peuple d'où il sort et l'aristocratie qu'il sert [4], Figaro s'inté-resse peu au sort des plus pauvres.

L'absence des catégories véritablement populaires dans l'œuvre de Beaumarchais est, en elle-même, signi-ficative des limites de sa contestation. Pierre-Augustin Caron, nous l'avons dit, voulait s'intégrer aux sphères supérieures de la société d'Ancien Régime, et non ren-verser le système [5]. Il plaidait pour l'ouverture de toutes les institutions, de toutes les carrières, à l'intelli-gence, à l'habileté, à la fortune, aspirant à voir mêlés, comme il le dit dans la préface du *Mariage*, « *les talents personnels et la considération héritée* » [6]. Il y a du réfor-miste en lui à défaut de révolutionnaire.

L'histoire personnelle de Beaumarchais montre d'ailleurs que l'écart va aller grandissant entre sa pen-sée, sa conduite, et l'idéologie, les choix politiques des « *patriotes* ». Dès l'époque pré-révolutionnaire, il fut catalogué parmi les défenseurs de l'Ancien Régime, à propos de ses démêlés avec Kornman. L'histoire est compliquée et nous la résumerons en deux mots. Elle avait commencé en 1781, lorsque Pierre-Augustin s'était intéressé au sort malheureux de Madame Korn-man. Mariée au banquier alsacien, cette jeune femme était devenue la maîtresse d'un certain Daudet de Jossan, syndic royal de Strasbourg et protégé du ministre de la guerre Montbarrey, et sa liaison avait été encouragée par son mari tant qu'elle pouvait lui être utile. Mais le ministre disgrâcié en décembre 1780, Kornman avait fait enfermer son épouse pour adultère, alors qu'elle était enceinte. Beaumarchais avait obtenu du gouvernement le transfert de Madame Kornman dans la maison d'un accoucheur. En février 1787, l'affaire fut relancée par la publication du *Mémoire sur une question d'adultère* dû à la plume de l'avocat Bergasse. Le mari complaisant y était présenté comme une victime et Beaumarchais dénoncé comme l'instigateur dépravé de l'enlèvement de la dame. L'opinion publique s'empara de l'anecdote, montée en épingle par d'innombrables pamphlets que les deux partis se jetèrent à la face. Or, notre auteur était du mauvais côté. Kornman, Bergasse, piliers de la secte des « *mesméristes* », passaient pour des « *patriotes* » [7]. Beaumarchais avait pour lui Lenoir, l'ancien lieutenant de police, et le cardinal de Rohan, l'homme du Collier. « *Le père de Figaro est érigé en symbole d'un ordre social détesté*, écrit René Pomeau. *Le procès Kornman devient son procès et celui de l'Ancien Régime* » [8]. L'arrêt du Parlement qui innocente Beaumarchais et condamne ses adversaires, le 2 avril 1789, n'est pas fait pour rehausser la popularité de Pierre-Augustin car, à cette heure, les Magistrats ont jeté le masque et se rangent parmi les défenseurs les plus acharnés de l'ordre ancien.

En fait, la popularité de Beaumarchais est au plus bas en cette première année de la Révolution. Les Comédiens-Français n'ont joué que trois fois *Le Mariage de Figaro* en 1789. La magnifique demeure de Pierre-Augustin (bien mal placée en face de la Bastille...) échappe de peu au pillage, en avril, lors de l'émeute du faubourg Saint-Antoine contre les manufacturiers Hanriot et Réveillon. Beaumarchais essaie de se dédouaner en multipliant, selon son habitude, les gestes de bienfaisance mais la Révolution qui se radicalise rend de plus en plus précaire la situation de cet homme au « *patriotisme* » modéré. Il a une seconde fois maille à partir avec le peuple de Paris au lendemain du 10 août 1792. On l'accuse d'avoir caché dans sa maison 60 000 fusils achetés à l'Autriche après la défaite des révolutionnaires des Pays-Bas. Heureusement pour lui, les fusils sont restés entreposés en Hollande [8]. Il est pourtant enfermé à l'Abbaye à la veille des massacres de septembre, mais il en est retiré sur-le-champ grâce, dit-on, au sacrifice de sa maîtresse, Amélie Houret, qui se donne à Manuel, procureur-syndic de la Commune. Dès lors Beaumarchais se cache, puis se réfugie en Angleterre, aux Provinces-Unies, en Allemagne. Il est un temps inscrit sur la liste des émigrés et sa femme obligée de divorcer. Elle est, elle-même, incarcérée avec sa fille et sa belle-sœur, mais le 9 thermidor les tire vite de prison. En juillet 1796, Beaumarchais retrouve enfin la France, Marie-Thérèse qu'il épouse une deuxième fois, et sa famille. Il s'éteindra en mai 1799, après avoir connu une ultime joie d'auteur : la reprise par la Comédie-Française de la dernière pièce de la trilogie des aventures de Figaro, *La Mère coupable*. Cette sorte de mélodrame moralisant dans lequel Beaumarchais réglait ses comptes avec Bergasse, mis en scène dans le personnage du traître de la pièce sous le nom de Bégearss, anagramme transparent, avait été créée en 1792 par une troupe de second rang, les « *Comédiens du Marais* », mais elle était bien vite tombée.

A peu près oublié au plus fort de la Révolution, redécouvert au temps de la république bourgeoise,

Beaumarchais ne peut être tenu pour l'inspirateur des grands hommes des années 1790 qui, d'ailleurs, ne le revendiquèrent point. On ne saurait considérer davantage le 27 avril 1784 comme la première « *journée* » de la Révolution. Il n'en reste pas moins que, témoignage du rayonnement culturel de la France, symbole du bonheur de vivre d'un pays jeune et enrichi au cours du siècle, *Le Mariage de Figaro* est aussi la caisse de résonance des « *idées nouvelles* » et le révélateur des insatisfactions et des appétits des couches moyennes. Le scandale qu'il a suscité est le signe du malaise social et politique qui taraude l'Ancien Régime. L'événement avec toutes ses facettes et ses diverses implications résume bien la richesse ambiguë des années 1780, grosses de tant de virtualités contraires, au moment où la marche du temps est comme suspendue, semblant hésiter une dernière fois entre les lumières et les ombres.

NOTES

La folle journée

[1] *Correspondance littéraire* (dite de Grimm), Paris, Garnier Frères, 1880, t. XIII, p. 519.

[2] *Mémoires* de l'acteur Fleury, cités par Gaiffe (Félix), *Le Mariage de Figaro*, Paris, Niset, 1956, p. 82-83.

[3] Manceron (Claude), *Le bon plaisir, 1782-1785*, Paris, Robert Laffont, Coll. « Les hommes de la liberté », t. 3, 1976, p. 334.

[4] *Correspondance secrète* (dite de Métra), Londres, John Adanson, t. 15, 1788, p. 174.

[5] Si l'on en croit une des lettres de Beaumarchais à Lenoir (Beaumarchais, *Théâtre complet*, Paris, NRF Gallimard, Coll. La Pléiade, 1957, p. 661).

[6] *Mémoires de Madame Campan*, Paris, Ramsay, 1979, p. 139.

[7] Manceron (Claude), *op. cit.*, p. 90.

[8] Lettre au lieutenant de police Lenoir, publiée dans Beaumarchais, *op. cit.*, p. 664.

[9] *Mémoires de Madame Campan, op. cit.*, p. 139-140.

[10] Brienne (Louis de), *Beaumarchais et son temps*, Paris, Michel Lévy, 1855, t. 2, p. 313-314.

[11] Manceron (Claude), *op. cit.*, p. 331.

[12] *Correspondance littéraire, op. cit.*, p. 523.

[13] Cf. *infra*, ch. III, p. 98.

[14] Beaumarchais, *op. cit.*, p. 680 et 831.

[15] Gaiffe (Félix), *op. cit.*, p. 98.

[16] Beaumarchais, *op. cit.*, p. 253.

[17] Gaiffe (Félix), *op. cit.*, p. 105-108.

[18] Gaiffe (Félix), *op. cit.*, p. 108-114.
Pomeau (René), *Beaumarchais ou la bizarre destinée*, Paris, P.U.F., 1987, p. 146-147.

[19] Mirabeau, *Des lettres de cachet et des prisons d'Etat*. La *Correspondance littéraire* en fait mention en avril 1783. (*op. cit.*, p. 297-298).

[20] Pomeau (René), *op. cit.*, p. 147.
Gaiffe (Félix), *op. cit.*, p. 114.

[21] Beaumarchais, *op. cit.*, p. 681-688.

[22] Cf. *infra*, chap. II, p. 42-44.

[23] Pomeau (René), *op. cit.*, p. 147.

[24] Lagrave (Henri), Mazouer (Charles), Régaldo (Marc), *La vie théâtrale à Bordeaux des origines à nos jours*, Paris, C.N.R.S., 1985, t. 1, p. 209.

[25] Gaiffe (Félix), *op. cit.*, p. 124-126.

[26] Giudici (Enzo), «Beaumarchais dans la littérature de création», *in Revue d'histoire littéraire de la France*, sept-oct. 1984, p. 750-773.

[27] *Correspondance littéraire, op. cit.*, p. 519.

[28] Beaumarchais, *op. cit.*, p. 238.

[29] Sur la charge érotique du personnage de la servante et les fantasmes qu'il suscite, cf. Petitfrère (Claude), *L'Œil du Maître*, Bruxelles, Editions Complexe, 1986.

[30] Beaumarchais, *Le Mariage de Figaro*, acte V, scène 3.

[31] *Ibidem*.

[32] Beaumarchais, *Le Mariage de Figaro*, acte V, scène 7.

[33] *Ibidem*, acte I, scène 7.

[34] La dernière citation est de Julie, la sœur préférée de Beaumarchais. Cité par Pomeau (René), *op. cit.*, p. 9.

[35] Beaumarchais, *Le Mariage de Figaro,* acte I, scène 1.

[36] *Ibidem*, acte I, scène 2.

[37] *Ibidem*, acte II, scène 6.

[38] *Ibidem*, acte I, scène 7.

[39] *Ibidem*, acte II, scène 3.

[40] Cf. *supra*, p. 10.

[41] *Correspondance littéraire, op. cit.*, p. 521.

[42] Beaumarchais, *Le Barbier de Séville*, acte I, scène 2.

[43] Beaumarchais, *Le Mariage de Figaro*, acte V, scène 3.

[44] *Ibidem*, acte I, scène 9.

[45] Beaumarchais, *Le Mariage de Figaro,* successivement, acte III, scène 5, acte II, scène 24, acte V, scène 2, acte V, scène 19 et acte II scène 2.

[46] *Ibidem,* successivement, acte III, scène 5 et scène 12.

[47] *Ibidem,* acte V, scène 3.

[48] *Ibidem,* acte III, scène 5.

[49] Mercier (Louis-Sébastien), *Le Tableau de Paris,* éd. Paris, Maspéro, 1979, p. 245.

[50] Beaumarchais, *Le Mariage de Figaro,* acte III, scène 16.

[51] *Ibidem.*

[52] D'après Cousin d'Avallon, cité par Boussel (Patrice), *Beaumarchais, le Parisien universel,* Paris, Berger-Levrault, 1983, p. 32.

La puissance et la gloire

[1] Caraccioli, *L'Europe française,* 1777, cité par Pomeau (René), *L'Europe des Lumières,* Paris, Stock, 1966, p. 49.

[2] *Mémoires de Madame Campan, op. cit.,* p. 138.

[3] Cf. *infra,* chap. VI, p. 197.

[4] Sur l'affaire Gœzman, cf. Pomeau (René), *Beaumarchais..., op. cit.,* p. 51-76.

[5] Girault de Coursac (Paul), «Le rôle de Beaumarchais auprès du roi et de ses ministres», *in Découverte,* mars 1984, p. 27-54 et juin 1984, p. 18-46.

[6] Kaspi (André), *L'indépendance américaine, 1763-1789,* Paris, Gallimard-Julliard, coll. Archives, 1976.

[7] Pomeau (René), *Beaumarchais..., op. cit.,* p. 117-125.
Sur les démêlés de Beaumarchais et du Congrès des Etats-Unis, voir aussi Vincent (Bernard), *Thomas Paine,* Paris, Aubier, 1987, p. 98-113.

[8] Meyer (Jean), «L'Europe et la mer de 1778 à 1802», *in L'Europe à la fin du XVIIIe siècle,* Paris, S.E.D.E.S., 1985, p. 168-225.

[9] Lavisse (Ernest), *Histoire de France illustrée depuis les origines jusqu'à la Révolution,* t. IX — première partie, *Louis XVI (1774-1789),* Paris, Hachette, 1911, p. 106.

[10] Corvisier (André), «Les armées et la guerre», *in L'Europe à la fin du XVIIIe siècle, op. cit.,* p. 223-285.
Corvisier (André), *Armées et sociétés en Europe de 1494 à 1789,* Paris, P.U.F., 1976.

[11] Chagniot (Jean)*Paris et l'armée au XVIIIe siècle*, Paris, Economica, 1985, p. 583.

[12] Chagniot (Jean), *op. cit.*, p. 611-652. « Le militaire réhabilité » est un titre de cet ouvrage, p. 611.

[13] Bertaud (Jean-Paul), *La Révolution armée*, Paris, Laffont, 1979.

[14] Cf. Corvisier (André), « Les armées et la guerre », *art. cit.*

[15] Butel (Paul), *Les négociants bordelais, l'Europe et les îles au XVIIIe siècle*, Paris, Aubier, 1974.

Butel (Paul) et Poussou (Jean-Pierre), *La vie quotidienne à Bordeaux au XVIIIe siècle*, Paris, Hachette, 1980.

Poussou (Jean-Pierre), *Bordeaux et le Sud-Ouest au XVIIIe siècle. Croissance économique et attraction urbaine*, Paris, Editions des Hautes Etudes en Sciences sociales, 1983.

[16] Pomeau (René), *Beaumarchais...*, *op. cit.*, p. 27-38.

Sur ce voyage et ses implications familiales, cf. *infra*, chapitre III, p. 84-85.

[17] Vilar (Pierre), *La Catalogne dans l'Espagne moderne*, Paris, S.E.V.P.E.N., 1962, 3 vol.

[18] Poitrineau (Abel), *Remues d'hommes, les migrations montagnardes en France aux XVIIe et XVIIIe siècles*, Paris, Aubier, 1983, p. 126-128.

[19] Petitfrère (Claude), *L'Œil du Maître, op. cit.*, p. 43-44.

[20] Chassagne (Serge), *Une femme d'affaires au XVIIIe siècle*, Toulouse, Privat, 1981, p. 64.

[21] Madariaga (Isabel de), *La Russie au temps de Catherine II*, Paris, Fayard, 1987, p. 571.

[22] *Ibidem*, p. 369-371.

[23] Pomeau (René), *L'Europe des Lumières, op. cit.*, p. 68-69.

[24] Darnton (Robert), *L'aventure de l'Encyclopédie, (1775-1800)*, Paris, Perrin, 1982.

[25] Madariaga (Isabel de), *op. cit.*, p. 360.

[26] Domergue (Lucienne), *Le livre en Espagne au temps de la Révolution française*, Lyon, Presses Universitaires de Lyon, 1984, p. 159.

[27] Mornet (Daniel), *Les origines intellectuelles de la Révolution française (1715-1787)*, 5e édition, Paris, A. Colin, 1954, p. 343-356, Godechot (Jacques), *Histoire générale de la presse française*, t. I, *Des origines à 1814*, Paris, P.U.F., 1969, p. 309-311.

[28] Corvisier (André), *Arts et sociétés dans l'Europe du XVIIIe siècle*, Paris, P.U.F., 1978, p. 26.

Notre développement sur le rayonnement culturel de la France doit beaucoup à Pomeau (René), *L'Europe des Lumières*, p. 49-70.

226

Heureux comme Dieu en France

[1] Mauzi (Robert), *L'idée du bonheur dans la littérature et la pensée françaises au XVIIIe siècle*, Paris, A. Colin, 3e éd., 1967. Cet ouvrage nous a servi de guide principal par le présent chapitre.

[2] Mauzi (Robert), *op. cit.*, p. 405, note 4.

[3] *Mémoires de Madame Campan, op. cit.*, p. 85-86.

[4] *Avis à la livrée par un homme qui la porte* (anonyme).

[5] Lespinasse (Julie de), *Lettres...*, cité par Bluche (François), *La vie quotidienne au temps de Louis XVI*, Paris, Hachette, 1980, p. 100.

[6] *Correspondance littéraire, op. cit.*, p. 393.

[7] *Correspondance secrète, op. cit.*, p. 212.

[8] *Correspondance littéraire, op. cit.*, p. 486.

[9] Oberkirch (Baronne d'), *Mémoires (...) sur la Cour de Louis XVI et la société française*, cité par Bluche (François), *op. cit.*, p. 104.

[10] Voir, par exemple, la relation du souper de La Reynière, *in Correspondance littéraire, op. cit.*, p. 296-297.
Sur la table, cf. Aron (Jean-Paul), *Le mangeur du XIXe siècle*, Paris, Denoël/Gonthier, 1976, p. 9-10 ; Bonnet (Jean-Claude), «L'écriture gourmande de Grimod de La Reynière», *in L'Histoire*, n° 85, p. 83-86 et Gilles-Mouton (Colette), «La saga du ' Grand Véfour '», *Ibidem*, p. 75-79.

[11] Benabou (Erica-Marie), *La prostitution et la police des mœurs au XVIIIe siècle*, Paris, Perrin, 1987, p. 332.

[12] *Ibidem*, 205-209.

[13] *Mémoires de M. Goldoni*, Paris, Mercure de France, coll. «Le Temps retrouvé», Paris, 1982, p. 347.

[14] Mercier (Louis-Sébastien), *op. cit.*, p. 295.

[15] *Mémoires de M. Goldoni, op. cit.*, p. 345.

[16] Mercier (Louis-Sébastien), *op. cit.*, p. 290.

[17] *Ibidem*, 291.

[18] Gilles-Mouton (Colette), *art. cit.*
Roche (Daniel), «Le ventre de Paris au XVIIIe siècle», *in L'Histoire*, n° 85, p. 121-123.
Leroux (Michel), «La bataille du café Procope», *in L'Histoire*, n° 31, p. 98-101.

[19] Benabou (Erica-Marie), *op. cit.*, p. 195-204.

[20] Gudin de La Brenellerie, *Histoire de Beaumarchais*, Paris, Plon, 1888, p. 14.

[21] Goncourt (Edmond et Jules de), *La femme au XVIIIe siècle*, éd. Paris, Flammarion, 1982.

[22] Mauzi (Robert), *op. cit.*, p. 458-460.

La citation de *La Nouvelle Héloïse* est tirée de Rousseau (Jean-Jacques), *Oeuvres complètes*, Paris, NRF Gallimard, coll. La Pléiade, t. II, 1964, p. 109.

[23] Cf. *supra*, chap. I, p. 22.

[24] Gudin de La Brenellerie, *op. cit.*, p. 11.

[25] Pomeau (René), *Beaumarchais, op. cit.*, p. 52-56 et p. 36.

Sur l'agression du duc de Chaulnes, cf. *supra*, chap. II, p. 39.

[26] Voir par exemple Castries (duc de), *Figaro ou la vie de Beaumarchais*, Paris, Hachette, 1972, p. 310-311.

[27] Mauzi (Robert), *op. cit.*, p. 406.

[28] *Correspondance complète de Madame du Deffand*, Paris, Calmann-Lévy, 1877, t. II, p. 243. (lettre du 5 septembre 1772).

[29] Mauzi (Robert), *op. cit.*, p. 362, note 3.

[30] Cf. *infra*, chap. IV, p. 128-129.

[31] Cité par Mauzi (Robert), *op. cit.*, p. 365, note 1.

[32] *Correspondance complète de Madame du Deffand, op. cit.*, t. I, p. 315. (lettre de Barthélémy à Madame du Deffand, 14 janvier 1771) ; t. II, p. 138 (lettre de Madame du Deffand à la duchesse de Choiseul, 25 février 1772) ; t. III, p. 285 (lettre de Barthélémy à Madame du Deffand, 16 août 1777).

[33] Jasinski (René), *Le Mariage de Figaro*, Paris, Cours de lettres, 1948, p. 120-126.

[34] La description de la vie à Chanteloup est tirée de la *Correspondance (...) de Madame du Deffand, op. cit.* ; des *Mémoires sur les règnes de Louis XV et Louis XVI et sur la Révolution*, de Cheverny (J.-N. Dufort comte de), Paris, 1886 et des *Voyages en France* de Young (Arthur), Paris, A. Colin, 1976, t. I.

[35] Pomeau (René), *Beaumarchais, op. cit.*, p. 183.

[36] Sur la Compagnie des Eaux, cf. Boussel (Patrice), *op. cit.*, p. 91-93. Sur la maison de Beaumarchais, cf. Pomeau (René), *Beaumarchais, op. cit.*, p. 181-183 et Boussel (Patrice), *op. cit.*, p.113-119.

[37] Pomeau (René), *Beaumarchais, op. cit.*, p. 11.

[38] Cf. *supra*, chap. II, p. 51.

[39] Pomeau (René), *Beaumarchais, op. cit.*, p. 8-30.

Boussel (Patrice), *op. cit.*, p. 9-47.

[40] Voir notamment : Ariès (Philippe), *L'enfant et la vie familiale sous l'Ancien Régime*, Paris, Plon, 1960 ; Lebrun (François), *La vie conjugale sous l'Ancien Régime*, Paris, A. Colin, 1975 ; Flandrin (Jean-Louis), *Familles*, Paris, Hachette, 1976 ; Solé (Jacques), *L'amour en Occident à l'époque moderne*, Paris, Albin Michel, 1976 ; Shorter (Edward), *Naissance de la famille moderne*, Paris,

Le Seuil, 1977; Badinter (Elisabeth), *L'amour en plus*, Paris, Flammarion, 1980.

[41] *Encyclopédie ou Dictionnaire raisonné des arts et métiers*, art. « Mariage ».

[42] Flandrin (Jean-Louis), *op. cit.*, p. 165-166.

[43] *Mémoires de Madame Roland*, Paris, Baudouin Frères, 2e éd. 1821, t. I, p. 163.

[44] Rousseau (Jean-Jacques), *La Nouvelle Héloïse, op. cit.*

[45] Ségalen (Martine), *Mari et femme dans la société paysanne*, Paris, Flammarion, 1980, p. 138-143.

[46] Rétif de La Bretonne (Nicolas), *Monsieur Nicolas*, cité par Flandrin (Jean-Louis), *Les amours paysannes (XVIe -XIXe siècles)*, Paris, Gallimard-Julliard, coll. Archives, 1975, p. 97.

[47] *Lettres de Madame Roland*, publiées par Perroud (Claude), Paris, Imprimerie Nationale, 1913, t. I, p. 183.

[48] Ariès (Philippe), *L'enfant et la vie familiale (…), op. cit.*

[49] Laget (Mireille), *Naissances. L'accouchement avant l'âge de la clinique*, Paris, Le Seuil, 1982.

Garden (Maurice), *Lyon et les Lyonnais au XVIIIe siècle*, Paris, Les Belles Lettres, 1970.

Bardet (Jean-Pierre), « Enfants abandonnés et enfants assistés à Rouen dans la seconde moitié du XVIIIe siècle », *in Sur la population française au XVIIIe et au XIXe siècles, Hommage à Marcel Reinhard*, Paris, Société de démographie historique, 1973, p. 19-47.

Peyronnet (Jean-Claude), *Recherches sur les enfants trouvés à l'Hôpital Général de Limoges au XVIIIe siècle*, thèse de 3e cycle, dact. 1972.

Lecomte (Marie-Claude), *Les enfants trouvés d'après les archives du Bureau des Pauvres de Chartres, de 1780 à 1792*, Mémoire de maîtrise, dact. Tours, 1976.

[50] Gélis (Jacques), Laget (Mireille), Morel (Marie-France), *Entrer dans la vie*, Paris, Gallimard-Julliard, coll. Archives, 1978, p. 158.

[51] Faÿ-Sallois (Fanny), *Les nourrices à Paris au XIXe siècle* , Paris, Payot, 1980, p. 26-33.

[52] Cf. surtout Badinter (Elisabeth), *op. cit.*, p. 73-136.

[53] Mercier (Louis-Sébastien), *op. cit.*, p. 252.

[54] Lebrun (François), *op. cit.*, p. 153.

[55] Knibiehler (Yvonne), *Les pères aussi ont une histoire …*, Paris, Hachette, 1987, p. 194.

Voir aussi Knibiehler (Yvonne) et Fouquet (Catherine), *Histoire des mères du Moyen-Age à nos jours*, éd. Paris, Hachette, coll. Pluriel, 1982, p. 132.

229

[56] Knibiehler (Yvonne), *Les pères aussi ont une histoire, op. cit.*, p. 54-58.

[57] Flandrin (Jean-Louis), *Familles, op. cit.*, p. 155.

[58] Quéniart (Jean), *Les hommes, l'Eglise et Dieu dans la France du XVIIIᵉ siècle*, Paris, Hachette, 1978, p. 114.

[59] Diderot (Denis), Lettre à Sophie Volland.

[60] Rousseau (Jean-Jacques), *La Nouvelle Héloïse, op. cit.*,

[61] Moheau, *Recherches et considérations sur la population de la France*, 1778, cité par Badinter (Elisabeth), *op. cit.*, p. 145-146.

[62] Cf. *infra*, chap. IV, p. 105-106.

[63] Bernardin de Saint-Pierre (Henri), *Etudes de la nature*, 1784, 14ᵉ étude.

[64] Prost de Royer, *Mémoire sur la conservation des enfants*, cité par Badinter (Elisabeth), *op. cit.*, p. 187.

[65] Rousseau (Jean-Jacques), *Emile*, 1762.

[66] *Encyclopédie ou Dictionnaire raisonné..., op. cit.*, art. « Nourrices ».

[67] Knibielher (Yvonne) et Fouquet (Catherine), *Histoire des mères, op. cit.*, p. 145-146.
Badinter (Elisabeth), *op. cit.*, p. 176-186.

[68] Rousseau (Jean-Jacques), *Emile, op. cit.*

[69] Knibielher (Yvonne), *Les pères aussi ont une histoire..., op.cit.*, p. 194.

[70] Vincent-Buffault (Anne), *Histoire des larmes (XVIIIᵉ -XIXᵉ siècles)*, Paris-Marseille, Editions Rivages, 1986.

[71] Madame Roland, cité par Badinter (Elisabeth), *op. cit.*, p. 210.

Les fondements de l'optimisme

[1] Casanova, *Mémoires*, cité par Mauzi (Robert), *op. cit.*, p. 71, note 2.

[2] Dupâquier (Jacques), (sous la direction de), *Histoire de la population française*, t. II, *De la Renaissance à 1789*, Paris, P.U.F., 1987, p. 64-65.

[3] Poussou (Jean-Pierre), « L'évolution et les structures démographiques de l'Europe à la fin du XVIIIᵉ siècle », *in L'Europe à la fin du XVIIIᵉ siècle, op. cit.*, p. 329-372.

230

[4] Lebrun (François), « Une grande épidémie en France au XVIIIe siècle : la dysenterie de 1779 », *in Sur la population française au XVIIIe siècle et au XIXe siècle, op. cit.*, p. 403-415. Voir aussi Maillard (Brigitte), *Recherches sur la population de la Touraine, au XVIIIe siècle,* thèse de 3e cycle, dact., 1974.

[5] Cf. *supra*, chap. III, p. 96.

[6] Laget (Mireille), *Naissances, op. cit.*, p. 201-227.

[7] Lebrun (François), *Les Hommes et la Mort en Anjou aux 17 et 18e siècles*, Paris-La Haye, Mouton, 1971, p. 213-216.

[8] Laget (Mireille), *Naissances, op. cit.*, p. 223.

[9] Sur l'inoculation dans l'Ouest de la France, voir Lebrun (François), *Les Hommes et la Mort en Anjou, op. cit.*, p. 286-287.

[10] Cité par Dupâquier (Jacques), *La population française aux XVIIe et XVIIIe siècles* , Paris, P.U.F., Que sais-je ?, 1979, p. 99.

[11] Moheau, *Recherches et considérations..., op. cit.*

[12] Labrousse (Ernest), *Esquisse du mouvement des prix et des revenus en France au XVIIIe siècle*, Paris, 1933. Résumé dans *Histoire économique et sociale de la France*, sous la direction de Braudel (Fernand) et Labrousse (Ernest), t. II, *Des derniers temps de l'âge seigneurial aux préludes de l'âge industriel (1660-1789)*, Paris, P.U.F., 1970, p. 383-416.

[13] Cf. *infra*, chap. VI, p. 151-154.

[14] Lebrun (François), *Les Hommes et la Mort, op. cit.*, p. 92-104.

[15] Frêche (Georges), *Toulouse et la région Midi-Pyrénées au siècle des Lumières*, Paris, Cujas, 1974, p. 243-244.

[16] Lefebvre (Georges), *Les paysans du Nord pendant la Révolution française*, éd., Paris, A. Colin, 1972, p. 191-203.

[17] Lebrun (François), *Les Hommes et la Mort en Anjou..., op. cit.* , p. 64-65.

[18] Roche (Daniel), *Le siècle des Lumières en province. Académies et académiciens provinciaux, 1680-1789*, Paris, La Haye, Mouton, EHESS, 1978.
Quéniart (Jean), *Culture et société urbaines dans la France de l'Ouest au XVIIIe siècle*, Paris, Klincksieck, 1978.

[19] Besnard (François-Yves), *Souvenirs d'un nonagénaire*, éd. par Port (Célestin), Paris, 1880.

[20] Le Roy Ladurie (Emmanuel), « La croissance agricole », *in Histoire de la France rurale*, sous la direction de Duby (Georges) et Wallon (Armand), Paris, Le Seuil, 1975, t. II, p. 393-441.
Goy (Joseph) et Le Roy Ladurie (Emmanuel), *Les fluctuations du produit de la dîme*, Paris, Mouton, 1972.
Le Roy Ladurie (Emmanuel), « La dîme et le reste, XIVe -XVIIIe siècles », *in Revue historique*, 1978, p. 123-142.

Morineau (Michel), *Les faux-semblants d'un démarrage économique : agriculture et démographie en France au XVIIIe siècle*, Cahier des Annales n° 30, Paris, A. Colin, 1970.

Morineau (Michel), «La dîme et l'enjeu», *in Annales Historiques de la Révolution française*, 1980, p. 161-180.

Morineau (Michel), *Pour une histoire économique vraie*, Lille, P.U.L., 1985.

[21] *Histoire économique et sociale de la France,* sous la direction de Braudel (Fernand) et Labrousse (Ernest), *op. cit.,* t. II, p. 449.

[22] Rives (Jean), *Dîme et société dans l'archevêché d'Auch au XVIIIe siècle*, Paris, B.N., 1976, p. 57-58.

[23] Gauthier (Florence), *La voie paysanne dans la Révolution française. L'exemple picard*, Paris, Maspéro, 1977.

[24] *Histoire économique et sociale de la France, op. cit.*, t. II, p. 503.

[25] Butel (Paul), *Les négociants bordelais..., op. cit.*, p. 17-18.

[26] Cf. *supra*, chap. II, p. 42.

[27] Meyer (Jean), *L'armement nantais dans la deuxième moitié du XVIIIe siècle*, Paris, SEVPEN, 1969, p. 205-248.

[28] Butel (Paul) et Poussou (Jean-Pierre), *La vie quotidienne à Bordeaux..., op. cit.*, p. 128.

[29] Young (Arthur), *op. cit.*, t. I, p. 155.

[30] Maillard (Brigitte), *in Histoire de Tours*, sous la direction de Chevalier (Bernard), Toulouse, Privat, 1985, p. 199-204.

[31] Chassagne (Serge), *Oberkampf, un entrepreneur capitaliste au siècle des Lumières*, Paris, Aubier, 1986, p. 75-108.

[32] Richard (Guy), *Noblesse d'affaires au XVIIIe siècle*, Paris, A. Colin, coll. U Prisme, 1974, p. 191-193.

[33] Ours (Françoise), «Aux origines de l'industrie textile vizilloise : la manufacture des Périer de 1776 à 1825», *in Bourgeoisies de province et Révolution*, Actes du colloque de Vizille de 1984, Grenoble, P.U.G., 1987, p. 55-59.

[34] Maillard (Jacques), *Le pouvoir municipal à Angers de 1657 à 1789*, Angers, P.U.A., 1984, t. I, p. 264.

[35] Cf. *infra*, chap. V, p. 157-160.

[36] Mornet (Daniel), *op. cit.*, p. 265.

[37] *Correspondance littéraire, op. cit.*, p. 469-470 (janvier 1784).

[38] La citation, tirée de la *Correspondance secrète*, figure dans Mornet (Daniel), *op. cit.*, p. 262.

[39] Mornet (Daniel), *op. cit.*, p. 266.

[40] Quéniart (Jean), *Culture et société urbaines..., op. cit.*

[41] Vovelle (Michel), *Piété baroque et déchristianisation. Les attitudes devant la mort en Provence au XVIIIe siècle*, Paris, Plon, 1973.

Chaunu (Pierre), *La mort à Paris, XVIe , XVIIe , XVIIIe siècles*, Paris, Fayard, 1978.

Lebrun (François), *Les Hommes et la Mort en Anjou..., op. cit.*, p. 450-454

Maillard (Jacques), «Fondations et demandes de messes à Angers à la veille de la Révolution», *in Histoire de la messe, XVIIe -XIXe siècles*, Actes du colloque de Fontevraud, Université d'Angers, 1980, p. 133-140.

Gérard (Francis), *Mentalités collectives et attitudes devant la mort à Chinon (1720-1820)*, Mémoire de maîtrise dact., Université de Tours, 1984.

Bizieux (Marie-Pierre), *Evolution des mentalités religieuses à Blois de 1730 à 1820*, Mémoire de maîtrise, dact., Université de Tours, 1986.

[42] Vogler (Bernard), et alii, *Les testaments strasbourgeois au XVIIIe siècle*, Strasbourg, 1978.

Vogler (Bernard), «Le testament alsacien au XVIIIe siècle», *in Les actes notariés. Source de l'Histoire sociale XVIe -XIXe siècles*, Strasbourg, Istra, 1979, p. 317-325.

Quéniart (Jean), *Les hommes, l'Eglise et Dieu,... op. cit.*, p. 279-285.

Lemaître (Alain), «Histoire d'une marginalité : les testaments bretons aux XVIIIe-XIXe siècles (1750-1850)», *in Les actes notariés, op. cit.*, p. 277-289.

Lagrée (Michel), *Mentalités, religion et histoire en Haute-Bretagne au XIXe siècle. Le diocèse de Rennes de 1815 à 1848*, Paris, Klincksieck, 1977.

[43] Delumeau (Jean), *La peur en Occident, XIVe-XVIIIe siècles*, Paris, Fayard, 1978.

[44] Grœthuysen (Bernard), *Les origines de l'esprit bourgeois en France, I L'Eglise et la bourgeoisie*, 1927, éd. Paris, Gallimard, 1977, p. 77-94. La citation figure p. 84.

[45] Cité par Bluche (François), *La vie quotidienne..., op. cit.*, p. 164.

[46] Bernardin de Saint-Pierre (Henri), *Paul et Virginie*, (1787), éd. Paris, Alphonse Lemerre, 1876, p. 103-104.

[47] Pierrard (Pierre), *Histoire des curés de campagne de 1789 à nos jours*, Paris, Plon, 1986, p. 11-17.

[48] *Correspondance secrète, op. cit.* t. XVI, 1789, p. 23-25.

[49] Grœthuysen (Bernard), *op. cit.*, p. 53.

[50] Lebrun (François), *Parole de Dieu et Révolution*, Toulouse, Privat, 1979, p. 55-82.

[51] Cité par Bluche (François), *La vie quotidienne..., op. cit.*, p. 26.

[52] *La médicalisation de la société française, 1770-1830,* édité par Goubert (Jean-Pierre), Waterloo (Ontario), Historical Reflections Press, 1982.

[53] *Correspondance secrète, op. cit.,* t. XVI, p. 38.

[54] Mornet (Daniel), *op. cit.,* p. 284-287 et 316-317.

[55] *Correspondance littéraire, op. cit.* , p. 344 et 348.

[56] Pomeau (René), *Beaumarchais..., op. cit.,* p. 132-133.

[57] *Correspondance secrète, op. cit.,* t. XV, p. 382 (janvier 1784).

[58] Bluche (François), *La vie quotidienne..., op. cit.,* p. 35.

[59] La première citation est extraite de Darnton (Robert), *La fin des Lumières, le mesmérisme et la Révolution,* Paris, Perrin, 1984, p. 45.
La seconde de la *Correspondance littéraire, op. cit.,* p. 510.

[60] Selon Robert Darnton, le mesmérisme devint un courant d'opposition au régime (*La fin des Lumières... op. cit.,* p. 87-133).

[61] Darnton (Robert), *La fin des Lumières... op. cit.,* p. 21.

[62] *Correspondance secrète, op. cit.,* t. XV, p. 276-277.

[63] Darnton (Robert), *La fin des Lumières... op. cit.,* p. 28.

[64] *Correspondance littéraire, op. cit.,* p. 354 et 357-359.

La crise économique et sociale

[1] Mercier (Louis-Sébastien), *Le Tableau de Paris, op. cit.,* p. 76 et 147.

[2] Cf. *supra* chap. IV, p. 113.
Sur le mécanisme et les effets des crises cf. les travaux d'Ernest Labrousse, résumés dans *Histoire économique et sociale de la France, op. cit.,* t. II, p. 529-563.

[3] *Ibidem, op. cit.,* p. 545-554.

[4] Petitfrère (Claude), *Les Vendéens d'Anjou (1793),* Paris, B.N., 1981, p. 354.

[5] Voir par exemple Bart (Jean), *La liberté ou la terre. La mainmorte en Bourgogne au siècle des Lumières,* Université de Dijon, 1984.

[6] Les recherches se sont multipliées à la suite d'un colloque tenu à Toulouse en 1968 (*L'abolition de la féodalité dans le monde occidental* , Paris, C.N.R.S., 1971, 2 vol.). Cf. notamment :
Bastier (Jean), *La féodalité au siècle des Lumières dans la région de Toulouse (1730-1790),* Paris, B.N., 1975.
Rives (Jean), *Dîme et société dans l'archevêché d'Auch, op. cit.*

Goujard (Philippe), *L'abolition de la « féodalité » dans le pays de Bray, (1789-1793)*, Paris, B.N., 1979.

Luc (Jean-Noël), *Paysans et droits féodaux en Charente-Inférieure pendant la Révolution française*, Paris, C.T.H.S., 1984.

En attendant la publication prochaine de la thèse de Guy Lemarchand : *La fin du féodalisme dans le pays de Caux (1640-1795)*, on peut lire son exposé de soutenance dans les *Annales Historiques de la Révolution française*, 1986, p. 92-99.

[7] Cf. Kaplan (Steven), *Les ventres de Paris. Pouvoir et approvisionnement dans la France d'Ancien Régime*, Paris, Fayard, 1988.
Cf. *infra*, chap. VI, p. 200.

[8] Faccarello (Gilbert), *Aux origines de l'économie politique libérale : Pierre de Boisguilbert*, Paris, Editions Anthropos, 1986.
Weulersee (Georges), *La physiocratie à l'aube de la Révolution, 1781-1792*, Paris, Ecole des Hautes Etudes en Sciences sociales, 1985.

[9] Sur sa définition, cf. *supra*, chapitre IV, p. 113.

[10] Cité par Léon (Pierre), *in Histoire économique et sociale de la France, op. cit.*, t. II, p. 225.

[11] Gauthier (Florence), *La voie paysanne dans la Révolution française, op. cit.*

[12] *Encyclopédie ou Dictionnaire raisonné..., op. cit.*, art. « Mendicité ».

[13] Luc (Jean-Noël), *op. cit.*, p. 68-72.

[14] Le Roy Ladurie (Emmanuel), *in Histoire de la France rurale, op. cit.*, t. II, p. 359-575.

[15] Saint-Jacob (Pierre de), *Les paysans de la Bourgogne du nord au dernier siècle de l'Ancien Régime*, Paris, Les Belles-Lettres, 1960, notamment p. 243-249 et 425-434.

[16] On connaîtra mieux ces colères avec les résultats de l'enquête menée sous la direction de Jean Nicolas sur les mouvements de protestation populaires au XVIIIe siècle. (cf. les actes du colloque de Paris VII (1984) : *Mouvements populaires et conscience sociale, XVIe -XIXe siècles*, Paris, Maloine, 1985).

[17] Gutton (Jean-Pierre), *La société et les pauvres. L'exemple de la généralité de Lyon, 1534-1789*, Paris, Les Belles-Lettres, 1971, p. 53 et 78.

[18] Poitrineau (Abel), *Les remues d'hommes..., op. cit.*
Voir aussi : Forrest (Alan), *La Révolution et les pauvres*, Paris, Perrin, 1986.

[19] Kaplow (Jeffry), *Le nom des rois. Les pauvres de Paris à la veille de la Révolution*, Paris, Maspéro, 1971.

20. Benabou (Erica-Marie), *op. cit.*
    Cf. *supra*, chap. III, p. 67-68.
21. Roche (Daniel), *Le peuple de Paris*, Paris, Aubier, 1981.
22. Rudé (George), *La foule dans la Révolution française, op. cit.*, p. 228 et 281.
23. Cité par Petitfrère (Claude), «Du renfermement à la bienfaisance nationale : la politique de la mendicité au siècle des Lumières», *Cahiers de l'Institut d'Histoire de la Presse et de l'Opinion de l'Université François Rabelais de Tours*, n° 6, p. 5-13.
24. Lefebvre (Georges), *Les paysans du Nord..., op. cit.* p. 294-298.
25. Surrault (Jean-Pierre), *Mendiants et vagabonds en Touraine à la fin du XVIIIe siècle*, Mémoire de maîtrise, Tours, 1970.
26. Farge (Arlette), «Le mendiant, un marginal ? (Les résistances aux Archers de l'Hôpital dans le Paris du XVIIIe siècle)», *Les marginaux et les exclus dans l'histoire*, Cahiers Jussieu n° 5, Paris, Union Générale d'Editions, 1979, p. 312-329.
    Voir aussi, du même auteur, *La vie fragile. Violence, pouvoirs et solidarités au XVIIIe siècle*, Paris, Hachette, 1986.
27. Mercier (Louis-Sébastien), *op. cit.*, p. 154.
28. Zysberg (André) «Mandrin, Cartouche et les autres brigands...», *L'Histoire*, n° 111, 1988, p. 16-24.
29. Vovelle (Michel), «De la mendicité au brigandage : les errants en Beauce sous la Révolution française», *Actes du 86e Congrès des Sociétés Savantes,* Montpellier, 1961, p. 483-512.
30. Foucault (Michel), *Histoire de la folie à l'âge classique*, éd. Paris U.G.E., coll. 10-18, 1961, p. 54-81.
31. Barichard (Serge), «Le dépôt de mendicité de Bourges (1768-1795)...» *Cahiers de l'Institut d'Histoire... de l'Université de Tours, op. cit.* , p. 15-39.
32. Montesquieu, *De l'esprit des lois*, 1748.
    Sur l'origine de la bienfaisance, cf. Gutton (Jean-Pierre), *op. cit.*, p. 419-437.
33. *Encyclopédie..., op. cit.*, art. «Mendicité».
34. Petitfrère (Claude), «Du renfermement à la bienfaisance...», *art. cit.*
35. Benabou (Erica-Marie), *op. cit.*, p. 313.
36. Garden (Maurice), *Lyon et les Lyonnais au XVIIIe siècle*, Paris, Les Belles-Lettres, 1970, p. 328-329.
37. Lagrange (Evelyne), *Etude de mobilité sociale dans deux paroisses de Tours au XVIIIe siècle*, Mémoire de maîtrise, Université de Tours, 1985, p. 113.
38. Garden (Maurice), *op. cit.*, p. 339.

236

[39] Lagrange (Evelyne), *op. cit.*, p. 62.

[40] Péronnet (Michel), *Les évêques de l'ancienne France*, Lille, Atelier de reproduction des thèses de l'Université de Lille III, 1977, t. I, p. 154.

[41] Roman d'Amat (sous la direction de), *Dictionnaire de biographie française*, t. XII, Paris, Letouzey et Ané, 1970, art. «Du Paty», p. 318-319.

[42] Meyer (Jean), *La noblesse bretonne au XVIIIe siècle*, éd. Paris, Flammarion, 1972, p. 251-260.

[43] Meyer (Jean), *in L'Europe à la fin du XVIIIe siècle, op. cit.* , p. 390.
Goubert (Pierre), *l'Ancien Régime*, t. II, *Les pouvoirs*, Paris, A. Colin, coll. U, éd. 1973, p. 208-209.

[44] Péronnet (Michel), *op. cit.*, p. 538-539.

[45] Chaussinand-Nogaret (Guy), *La noblesse au XVIIIe siècle*, Paris, Hachette, 1976, p. 212.

[46] *Ibidem*, p. 48-49.

[47] Bonnin (Bernard), «Un bourgeois en quête de titres et de domaines seigneuriaux : Claude Périer dans les dernières années de l'Ancien Régime», *in Bourgeoisies de province et Révolution, op. cit.*, p. 61-77.
Favier (René), «Un grand bourgeois à Gap à la fin de l'Ancien Régime : Pierre-Daniel Pinet», *ibidem*, p. 43-53.

[48] Voltaire, *Lettres philosophiques*, dixième lettre, «Sur le commerce», éd. Paris, Garnier-Flammarion, 1964, p. 67.

[49] Beaumarchais, *Les deux amis...*, acte II, scène 10.

[50] Catalogue de l'exposition du Musée de la Révolution française, au château de Vizille, 1984, *Une dynastie bourgeoise dans la Révolution : les Périer*, Grenoble, Conseil général de l'Isère, Vizille, Musée de la Révolution française, p. 26.

[51] Léon (Pierre), *in Histoire économique et sociale de la France, op. cit.*, t. II, p. 646.
Mauzi (Robert), «Images du bourgeois», *op. cit.*, p. 270-278.

[52] Godechot (Jacques), *La contre-révolution, 1789-1804*, Paris, P.U.F., 1961, p. 7-9.

[53] Montesquieu, *De l'esprit des lois, op. cit.*, livre II, chapitre IV.

[54] Chaussinand-Nogaret (Guy), *op. cit.*, p. 34.
Mortier (Roland), et Hasquin (Hervé), *Idéologies de la noblesse, Etudes sur le XVIIIe siècle*, vol. XI, Bruxelles, éd. de l'Université de Bruxelles, 1984.

A la croisée des chemins

[1] Badinter (Elisabeth et Robert), *Condorcet*, Paris, Fayard, 1988, p. 97 et 179.

[2] Darnton (Robert), *Bohème littéraire et Révolution. Le monde des livres au XVIIIᵉ siècle*, Paris, Hautes Etudes, Gallimard, Le Seuil, 1983, p. 7-11.

[3] *Ibidem*, p. 7-41.

[4] *Ibidem*, p. 43-69.
Huart (Suzanne d'), *Brissot, la Gironde au pouvoir*, Paris, Robert Laffont, 1986, p. 75-91.

[5] Cf *supra* chapitre II, p. 40.
Antoine de Baecque signale la brusque augmentation du volume de la production licencieuse de 1774 à 1777, *in* «Dégénérescence et régénération ou comment le livre licencieux juge la Révolution française», *Œuvres anonymes du XVIIIᵉ siècle − IV, L'Enfer de la Bibliothèque Nationale*, vol. VI, Paris, Fayard, 1987, p. 247, note 1.

[6] B.N. Enfer 592.

[7] Robiquet (Paul), *Théveneau de Morande*, Paris, A. Quantin, 1882, p. 37-72.

[8] Benabou (Erica-Marie), *op. cit.*, p. 247-252.

[9] *Correspondance secrète, op. cit.*, t. XV, p. 280-281.

[10] Sur l'utilisation de la littérature libertine dans la critique politique outre de Baecque (Antoine), *op. cit.*, voir Nagy (Peter), *Libertinage et Révolution*, Paris, Gallimard, 1975 et Darnton (Robert), *Bohème littéraire* (…), *op. cit.*, p. 7-41.

[11] Heermann-Mascard (Nicole), *La censure des livres à Paris à la fin de l'Ancien Régime (1750-1789)*, Paris, P.U.F., 1968.

[12] Cf. *supra*, chap. II, p. 56.

[13] Darnton (Robert), *L'aventure de l'Encyclopédie, op. cit.*, p. 211-218.

[14] Mornet (Daniel), *op. cit.*, p. 343-356.
Trénard (Louis), *in Histoire générale de la presse française*, (sous la direction de Bellanger (Cl.), Godechot (J.), Guiral (P.), Terrou (F.)), t. I, Paris, P.U.F., 1969, p. 188-219, 240-249 et 323-402.

[15] *Ibidem*, p. 205-206 et 211-219.
Darnton (Robert), *L'aventure de l'Encyclopédie, op. cit.*, p. 321-337.

[16] Cf. *supra*, chap. I, p. 16.

[17] Lebrun (François), « Une source d'histoire sociale : la presse provinciale à la fin de l'Ancien Régime — Les « Affiches d'Angers », (1773-1789) », *in Le Mouvement social*, juillet-septembre 1962, p. 56-73.

[18] L'enquête de Maggiolo, publiée en 1880, a été relue à la lumière de l'historiographie contemporaine par Fleury (M.) et Valmary (P.), « Les progrès de l'instruction élémentaire de Louis XIV à Napoléon III, d'après l'enquête de Louis Maggiolo (1877-1879) », *in Population*, 1957, p. 71-92.

Furet (François) et Ozouf (Jacques), *Lire et écrire. L'alphabétisation des Français de Calvin à Jules Ferry*, Paris, Editions de Minuit, 1977, 2 vol.

[19] Roche (Daniel), *Le siècle des Lumières en province, op. cit.*, notamment t. I, p. 15-74, p. 189-210 et p. 324-355.

[20] Vassort (Jean), *in Histoire d'Orléans et de son terroir*, (sous la direction de Debal (Jacques)), t. II, *XVIIe, XVIII et XIXe siècles*, Roanne, Horvath, 1982.

[21] *Ibidem.*

[22] Quéniart (Jean), *Culture et société urbaines dans la France de l'Ouest* (...), *op. cit.*. t. II, p. 973-980.

[23] Mornet (Daniel), *op. cit.*, p. 311.

[24] *Ibidem*, p. 282.

[25] *Correspondance secrète, op. cit.*, t. XVI, p. 112.

[26] Cf. *supra*, chap. I, p. 11.

[27] Cf. *supra*, chap. III, p. 70.

[28] Toute une tradition historiographique s'inspirant des thèses de l'abbé Barruel (*Mémoires pour servir à l'histoire du jacobinisme, 1798*), a vu dans la Révolution le résultat d'un complot franc-maçon.

D'autre part, un historien du début du XXe siècle, Augustin Cochin, a présenté la sociabilité maçonnique comme la matrice de la sociabilité jacobine. La franc-maçonnerie aurait été, non un laboratoire d'idées subversives, mais une institution inventant une sociabilité égalitaire, tout à fait incompatible avec l'esprit d'Ancien Régime.

Cf. Furet (François), « Augustin Cochin : la théorie du jacobisme » *in Penser la Révolution française*, Paris, NRF Gallimard, 1978, p. 212-259.

[29] Halévi (Ran), *Les loges maçonniques dans la France de l'Ancien Régime*, Cahiers des Annales n° 40, Paris, A. Colin, 1984.

Parmi l'importante bibliographie récente concernant la franc-maçonnerie, on peut voir notamment :

Gayot (Gérard), *La franc-maçonnerie française, textes et pratiques (XVIIIᵉ -XIXᵉ siècles)*, Coll. Archives, Paris, Gallimard-Julliard, 1980.

Ligou (Daniel), *Histoire des franc-maçons en France*, Toulouse, Privat, 1981.

Ligou (Daniel), *Dictionnaire de la franc-maçonnerie*, Paris, P.U.F., 1987.

Fénéant (Jacques), *Histoire de la franc-maçonnerie en Touraine*, Chambray-lès-Tours, C.L.D., 1985.

Taillefer (Michel), *La franc-maçonnerie toulousaine, 1741-1799*, Paris, E.N.S.B.-C.T.H.S., 1984.

[30] Taillefer (Michel), *op. cit.*, p. 236.

[31] Cf. Delaporte (André), *L'idée d'égalité en France au XVIIIᵉ siècle*, Paris P.U.F., 1987.

[32] Fénéant (Jacques), *op. cit.*, p. 108.

[33] Taillefer (Michel), *op. cit.*, p. 126.
Sur la richesse des Toulousains, cf. Sentou (Jean), *Fortunes et groupes sociaux à Toulouse sous la Révolution*, Toulouse, Privat, 1969, p. 61.

[34] Cottret (Monique), *La Bastille à prendre*, Paris, P.U.F., 1986.
Quétel (Claude), *De par le Roy, Essai sur les lettres de cachet*, Toulouse, Privat, 1981, notamment p. 205-226.

[35] Cf. Farge (Arlette) et Foucault (Michel), *Le désordre des familles. Lettres de cachet des Archives de la Bastille*, Paris, Gallimard-Julliard, col. Archives, 1982, p. 357-363.

[36] Sur le rôle du christianisme et celui de l'Eglise dans la genèse de l'idée d'égalité, cf. Delaporte (André), *op. cit.*, p. 62-106.

[37] Petitfrère (Claude), *L'Oeil du Maître, op. cit.*, p. 76-77.

[38] Mercier (Louis-Sébastien), *op. cit.*, p. 316-318.

[39] Laugier (Lucien), *Un ministère réformateur sous Louis XV. Le Triumvirat (1770-1774)*, Paris, La Pensée universelle, 1975.

[40] Lavisse (Ernest), *Histoire de France (...)*, t. IX — première partie, *op. cit.*, p. 2-3.
Sur le règne de Louis XVI, cf. Lever (Evelyne), *Louis XVI*, Paris, Fayard, 1985.

[41] Cf. *supra*, chap. II, p. 39.

[42] Kiener (Michel) et Peyronnet (Jean-Claude), *Quand Turgot régnait en Limousin*, Paris, Fayard, 1979.

[43] Deux interprétations différentes de la Guerre des Farines ont été données par :
Faure (Edgar), *La disgrâce de Turgot*, Paris, Gallimard, 1961.
Ljublinski (Vladimir S.), *La guerre des farines*, Grenoble, P.U.G., 1979.

240

[44] Lever (Evelyne), *op. cit.*, p. 219.

[45] Cf. *supra*, p. 195.

[46] Lever (Evelyne), *op. cit.*, p. 238.

[47] Egret (Jean), *Necker, ministre de Louis XVI, 1776-1790*, Paris, Champion, 1975.

[48] Méthivier (Hubert), *L'Ancien Régime en France − XVIe -XVIIe XVIIIe siècles*, Paris, P.U.F., 1981, p. 472.

[49] Durand (Yves), *Les fermiers généraux au XVIIIe siècle*, Paris, P.U.F., 1971, p. 398-442.
La République des lettres n'était point unanime dans sa condamnation des fermiers. Beaumarchais avait campé deux belles figures de financiers, celles de Mélac et de Saint-Alban dans *Les deux amis* (1770) (Cf. Durand Yves, *op. cit.*, p. 418-419.)

[50] Le dauphin Louis-Joseph-Xavier-François, 2e enfant de Louis XVI, naîtra le 22 octobre 1781. Il mourra le 4 juin 1789. Son frère, Louis-Charles, le futur enfant du Temple, naîtra le 27 mars 1785.
Sur la disgrâce de Necker, cf. Egret (Jean), *op. cit.*, p. 162-178.

[51] Lacour-Gayet (Robert), *Calonne*, Paris, Hachette, 1963, p. 46-167.

[52] *Ibidem*, p. 78.

[53] Cf. *supra*, chap. V, p. 147.

[54] Delaporte (André), *op. cit.*, p. 11-61.

Conclusion

[1] *Mémoires de Madame Campan, op. cit.*, p. 142-152.
Lever (Evelyne), *Louis XVI, op. cit.*, p. 424-435.

[2] Necker a publié, en décembre 1784, un gros ouvrage à sa propre gloire où ses successeurs n'étaient pas épargnés : *De l'administration des finances de la France.*

[3] L'Assemblée du Clergé de 1785 avait ramené de 20 à 10 millions de livres le «don gratuit» réclamé par Calonne, en assortissant cette aumône de conditions humiliantes pour la monarchie, notamment la promesse qu'un arrêt du Conseil supprimerait l'édition des *Oeuvres complètes* de Voltaire entreprise par Beaumarchais (dite édition de Kehl).

[4] Petitfrère (Claude), *L'Œil du Maître, op. cit.*
[5] Cf. *supra*, chap. I, p. 30.
[6] Beaumarchais, *Théâtre complet, op. cit.*, p. 247.
[7] Darnton (Robert), *La fin des Lumières (...), op. cit.*, p. 87, 115-133
[8] Pomeau (René), *Beaumarchais, op. cit.*, p. 180.

CHRONOLOGIE

1732
24 janvier   Naissance à Paris de Pierre-Augustin Caron.

1751-1765   Première édition de l'*Encyclopédie.*

1756   Mariage de Pierre-Augustin Caron et de Madeleine-Catherine Aubertin, veuve Franquet.

1757   Pierre-Augustin Caron prend le nom de Beaumarchais.

1761   Achat d'un office de Secrétaire du Roi par Beaumarchais.
Julie ou la Nouvelle Héloïse de Rousseau.

1762   *Emile* de Rousseau.

1764-1765   Séjour de Beaumarchais en Espagne.

1767   *Eugénie* de Beaumarchais, à la Comédie-Française.

1768   Mariage de Beaumarchais et de Geneviève-Madeleine Watebled, veuve Lévêque.

1770   *Les Deux Amis* de Beaumarchais, à la Comédie-Française.

1771
23 février   Réforme du chancelier Maupeou qui brise la puissance du parlement de Paris.

1774	Affaire Goezman. Beaumarchais séjourne à Londres.
10 mai	Mort de Louis XV. Avènement de Louis XVI.
24 août	Accession de Turgot au Contrôle général des Finances.
12 novembre	Réinstallation solennelle du parlement de Paris.
1775	Première analyse de l'air par Lavoisier.
23 février	Première du *Barbier de Séville,* à la Comédie-Française.
1776	Création de la Société Royale de Médecine.
12 mai	Disgrâce de Turgot.
22 octobre	Necker nommé Directeur général du Trésor.
1777	Naissance d'Amélie-Eugénie, fille de Beaumarchais et de Marie-Thérèse Willermawlaz.
	Création du premier quotidien français : *Le Journal de Paris.*
1778	
6 février	Traité d'alliance entre la France et les Etats-Unis d'Amérique.
30 mai	Mort de Voltaire.
2 juillet	Mort de Rousseau.
1781	
19 mai	Disgrâce de Necker.
1782	Début de la publication de l'*Encyclopédie méthodique* de Panckoucke.
	Les Liaisons dangereuses de Choderlos de Laclos.
	Des lettres de cachet et des prisons d'Etat de Mirabeau.
1783	
juin	Ascension de la première montgolfière, à Annonay.
3 septembre	Traités de Versailles et de Paris qui consacrent l'indépendance des Etats-Unis.
25 septembre	Représentation privée du *Mariage de Figaro* à Gennevilliers.
29 octobre	Mort de d'Alembert.
3 novembre	Accession de Calonne au Contrôle général des Finances.

1784	*Discours sur l'universalité de la langue française* de Rivarol.
	Une commission royale composée de savants démontre la fausseté de la théorie de Mesmer.
27 avril	Première représentation publique du *Mariage de Figaro*, à la Comédie-Française.
31 juillet	Mort de Diderot.
1785	Affaire du collier de la reine.
	Mise à feu, au Creusot, des premiers hauts fourneaux français fonctionnant au coke.
1786	Mariage de Beaumarchais et de Marie-Thérèse Willermawlaz.
6 février	Traité de commerce entre la France et l'Angleterre.
1787	Affaire Kornman.
	Paul et Virginie de Bernardin de Saint-Pierre.
8 avril	Disgrâce de Calonne.
8 juin	Première représentation, à l'Opéra, de *Tarare* de Beaumarchais, musique de Salieri.
1788	
8 août	Annonce de la convocation des Etats Généraux.
1789	
5 mai	Séance d'ouverture des Etats Généraux.
14 juillet	Prise de la Bastille.
1792	
26 juin	Première représentation de *La Mère coupable* de Beaumarchais, par les Comédiens du Marais.
août	Brève arrestation de Beaumarchais. Il se décide à quitter la France.
1796	
juillet	Retour de Beaumarchais en France.
1797	
5 mai	Reprise de *La Mère coupable* par les Comédiens-Français.
1799	
nuit du 17 au 18 mai	Mort, à Paris, de Beaumarchais.

ORIENTATION
BIBLIOGRAPHIQUE

Pour se pénétrer de l'esprit du temps de Louis XVI, on signalera d'abord l'intérêt de certaines sources. Ainsi :

Les *Mémoires* : par exemple ceux de Madame Campan (Paris, Ramsay, 1979), de la baronne d'Oberkirch, de Goldoni, de Madame Roland, du comte Alexandre de Tilly (réédités dans la coll. Le Temps retrouvé, Paris, Mercure de France)...

La *Correspondance littéraire* (dite de Grimm), la *Correspondance secrète* (dite de Métra).

Le *Tableau de Paris* de Louis-Sébastien Mercier (choix de textes, Paris, Maspero, 1979), *Les nuits de Paris,* de Rétif de La Bretonne (extraits, Paris, éditions d'Aujourd'hui, 1978).

BEAUMARCHAIS ET SON ŒUVRE

Beaumarchais, *Théâtre complet* (éd. établie et annotée par Maurice Allem et Paul Courant), Paris, N.R.F., Gallimard, 1957.

Beaumarchais. « *Le Mariage de Figaro* », Revue d'Histoire littéraire de la France, numéro spécial, septembre-octobre 1984.

Patrice Boussel, *Beaumarchais le Parisien universel,* Paris, Berger-Levrault, 1983.

Duc de Castries, *Figaro ou la vie de Beaumarchais,* Paris, Hachette, 1972.

Félix Gaiffe, *Le Mariage de Figaro,* Paris, Nizet, 1956.

Gudin de La Brenellerie, *Histoire de Beaumarchais,* Mémoires inédits publiés par Maurice Tourneux, Paris, Plon-Nourrit, 1888.

René Jasinski, *Le Mariage de Figaro,* Paris, Cours de Lettres, 1947-1948, 3 fasc. dact.

Louis de Loménie, *Beaumarchais et son temps,* Paris, Michel Lévy, 1855, 2 vol.

Anne et Claude Manceron, *Beaumarchais Figaro vivant,* Paris, Dargaud, 1968.

René Pomeau, *Beaumarchais ou la bizarre destinée,* Paris, PUF, 1987.

Elisabeth et Robert Badinter, *Condorcet,* Paris, Fayard, 1988.

Cl. Bellanger, J. Godechot, P. Guiral, F. Terrou, *Histoire générale de la presse française,* T. I., *Des origines à 1814,* Paris, PUF, 1969.

Robert Darnton, *Bohème littéraire et Révolution, le monde des livres au XVIIIe siècle,* Paris, Hautes Etudes — Gallimard — Le Seuil, 1983.

Robert Darnton, *La fin des Lumières, Le Mesmérisme et la Révolution,* Paris, Perrin, 1984.

Robert Darnton, *L'aventure de l'Encyclopédie (1775-1800),* Paris, Perrin, 1982.

André Delaporte, *L'idée d'égalité en France au XVIIIe siècle,* Paris, PUF, 1987.

Jean Ehrard, *L'idée de Nature en France dans la première moitié du XVIIIe siècle,* Paris, SEVPEN, 1963.

François Furet et Jacques Ozouf, *Lire et écrire. L'alphabétisation des Français de Calvin à Jules Ferry,* Paris, éditions de Minuit, 1977, 2 vol.

Bernard Groethuysen, *Les origines de l'esprit bourgeois en France.* I - *L'Eglise et la Bourgeoisie,* Paris, Gallimard, 1977.

Ran Halévi, *Les loges maçonniques dans la France d'Ancien Régime,* Cahier des Annales n° 40, Paris, A. Colin, 1984.

François Lebrun, Marc Venard, Jean Quéniart, *Histoire générale de l'enseignement et de l'éducation en France,* Paris, Nouvelle Librairie de France, 1981.

François Lebrun, *Parole de Dieu et Révolution,* éd. Paris, Imago, 1988.

Daniel Ligou, *Histoire des francs-maçons de France,* Toulouse, Privat, 1981.

Robert Mauzi, *L'idée du bonheur dans la littérature et la pensée françaises au XVIIIe siècle,* Paris, A. Colin, 3e éd., 1967.

Daniel Mornet, *Les origines intellectuelles de la Révolution française, (1715-1787),* Paris, A. Colin, 5e éd., 1954.

Peter Nagy, *Libertinage et Révolution,* Paris, Gallimard, 1975.

René Pomeau, *L'Europe des Lumières. Cosmopolitisme et unité européenne au XVIIIe siècle,* Paris, Stock, 1966.

Jean Quéniart, *Culture et société urbaines dans la France de l'Ouest au XVIIIe siècle,* Paris, Klincksieck, 1978.

Jean Quéniart, *Les hommes, l'Eglise et Dieu dans la France du XVIIIe siècle*, Paris, Hachette, 1978.

Daniel Roche, *Le siècle des Lumières en province. Académies et académiciens provinciaux, 1680-1789*, Paris - La Haye, Mouton, EHESS, 1978.

Michel Vovelle, *Piété baroque et déchristianisation. Les attitudes devant la mort en Provence au XVIIIe siècle*, Paris, Plon, 1973.

Georges Weulersee, *La physiocratie à l'aube de la Révolution, 1781-1792*, Paris, EHESS, 1985.

HISTOIRE DE L'ÉCONOMIE, DE LA SOCIÉTÉ, DES MENTALITÉS

Philippe Ariès, *L'enfant et la vie familiale sous l'Ancien Régime*, Paris, Plon, 1960.

Philippe Ariès et Georges Duby (ss. la direction de), *Histoire de la vie privée*, T. III, *De la Renaissance aux Lumières* (vol. dirigé par Roger Chartier), Paris, Le Seuil, 1986.

Erica-Marie Benabou, *La prostitution et la police des mœurs au XVIIIe siècle*, Paris, Perrin, 1987.

François Bluche, *La vie quotidienne au temps de Louis XVI*, Paris, Hachette, 1980.

Fernand Braudel et Ernest Labrousse (ss. la direction de), *Histoire économique et sociale de la France*, T. II, *Des derniers temps de l'âge seigneurial aux préludes de l'âge industriel (1660-1789)*, Paris, PUF, 1970.

A. Bruguière, Ch. Kaplisch-Zuber, M. Ségalen, F. Zonabend, *Histoire de la famille*, T. II, *Le choc des modernités*, Paris, A. Colin, 1986.

Jean Chagniot, *Paris et l'armée au XVIIIe siècle*, Paris, Economica, 1985.

Guy Chaussinand-Nogaret, *La noblesse au XVIIIe siècle*, Bruxelles, Complexe, 1984.

André Corvisier, *Armées et sociétés en Europe de 1494 à 1789*, Paris, PUF, 1976.

André Corvisier, *Arts et sociétés dans l'Europe du XVIIIe siècle*, Paris, PUF, 1978.

Jean Delumeau, *La Peur en Occident (XIVe-XVIIIe siècles)*, Paris, Fayard, 1978.

Georges Duby et Armand Wallon, (ss. la direction de), *Histoire de la France rurale,* T. II, *L'âge classique des paysans de 1340 à 1789* (ss. la direction de Emmanuel Le Roy Ladurie), Paris, Le Seuil, 1975.

Georges Duby (ss. la direction de), *Histoire de la France urbaine,* T. III, *La ville classique de la Renaissance aux Révolutions* (ss. la direction de Emmanuel Le Roy Ladurie), Paris, Le Seuil, 1981.

Jacques Dupâquier, (ss. la direction de), *Histoire de la population française,* T. II, *De la Renaissance à 1789,* Paris, PUF, 1987.

Arlette Farge, *La vie fragile. Violence, pouvoirs et solidarités à Paris au XVIIIe siècle,* Paris, Hachette, 1986.

Jean-Louis Flandrin, *Familles, parenté, maison, sexualité dans l'ancienne société,* Paris, Hachette, 1976.

Jean-Louis Flandrin, *Les amours paysannes (XVIe-XIXe siècles),* Paris, Gallimard-Julliard, coll. Archives, 1975.

Michel Foucault, *Histoire de la folie à l'âge classique,* éd. Paris, UGE, coll. 10-18, 1961.

Jacques Gélis, Mireille Laget, Marie-France Morel, *Entrer dans la vie,* Paris, Gallimard-Julliard, coll. Archives, 1978.

Edmond et Jules de Goncourt, *La femme au XVIIIe siècle,* éd. Paris, Flammarion, 1982.

Steven Kaplan, *Les ventres de Paris. Pouvoir et approvisionnement dans la France d'Ancien Régime,* Paris, Fayard, 1988.

Jeffry Kaplow, *Le nom des rois. Les pauvres de Paris à la veille de la Révolution,* Paris, Maspero, 1971.

Yvonne Knibiehler et Catherine Fouquet, *Histoire des mères du Moyen Age à nos jours,* Paris, Hachette, Coll. Pluriel, 1982.

Yvonne Knibiehler, *Les pères aussi ont une histoire,* Paris, Hachette, 1987.

Mireille Laget, *Naissances. L'accouchement avant l'âge de la clinique,* Paris, Le Seuil, 1982.

François Lebrun, *La vie conjugale sous l'Ancien Régime,* Paris, A. Colin, 1975.

François Lebrun, *Les hommes et la mort en Anjou aux 17e et 18e siècles,* Paris - La Haye, Mouton, 1971.

Jean Meyer, *La noblesse bretonne au XVIIIe siècle,* éd. Paris, Flammarion, 1972.

Michel Péronnet, *Les évêques de l'ancienne France,* Lille, Atelier de reproduction des thèses de l'université de Lille III, 1977.

Claude Petitfrère, *L'Œil du Maître,* Bruxelles, Complexe, 1986.

Guy Richard, *Noblesse d'affaires au XVIIIe siècle,* Paris, A. Colin, 1974.

249

Daniel Roche, *Le Peuple de Paris,* Paris, Aubier, 1981.

Edward Shorter, *Naissance de la famille moderne,* Paris, Le Seuil, 1977.

Jacques Solé, *L'amour en Occident à l'époque moderne,* Paris, Albin Michel, 1976.

Anne Vincent-Buffault, *Histoire des larmes (XVIIIe-XIXe siècles),* Paris-Marseille, Rivage, 1986.

HISTOIRE POLITIQUE – GÉNÉRALITÉS

Jean Chalon, *Chère Marie-Antoinette,* Paris, Perrin, 1988.

Jean Egret, *Necker, Ministre de Louis XVI,* Paris, Champion, 1975.

Edgar Faure, *La disgrâce de Turgot,* Paris, Gallimard, 1961.

Jacques Godechot, *Les Révolutions (1770-1799),* Paris, PUF, Coll. Nouvelle Clio, 4e éd., 1986.

Pierre Goubert et Daniel Roche, *Les Français et l'Ancien Régime,* Paris, A. Colin, 1984, 2 vol.

Robert Lacour-Gayet, *Calonne,* Paris, Hachette, 1963.

Lucien Laugier, *Un ministère réformateur sous Louis XV. Le Triumvirat (1770-1774),* Paris, La Pensée universelle, 1975.

Ernest Lavisse, *Histoire de France illustrée depuis les origines jusqu'à la Révolution,* Tome IX - 1re partie : *Louis XVI (1774-1789),* Paris, Hachette, 1911.

Evelyne Lever, *Louis XVI,* Paris, Fayard, 1985.

Claude Manceron, *Les hommes de la liberté,*
> Vol. 1, *Les vingt ans du roi, 1774-1778,* Paris, Robert Laffont, 1972 ;
> Vol. 2, *Le vent d'Amérique, 1778-1782,* Paris, Robert Laffont, 1974 ;
> Vol. 3, *Le bon plaisir, 1782-1785,* Paris, Robert Laffont, 1976.

Hubert Méthivier, *La fin de l'Ancien Régime,* Paris, PUF, coll. Que sais-je ?, 1974.

INDEX

Aiguillon (duc d'), 197, 198.
Alembert (d'), 177, 179.
Andlau (marquise d'), 8.
Angelucci (*alias* Atkinson), 40.
Aranda (comte d'), 198.
Arcq (chevalier d'), 46.
Argenson (marquis d'), 174.
Arlandes (marquis d'), 134.
Arnault, 17.
Artois (comte d'), 8, 11, 13, 18, 31, 136, 181, 212.
Atkinson (voir Angelucci).
Auberteau, 70.
Aubertin (Madeleine-Catherine) (voir Franquet).
Augeard, 209.
Augustin (Saint), 90.

Bachaumont, 48, 58, 134, 182.
Baculard d'Arnaud, 48, 123.
Bailly, 136.
Balbastre, 80.
Balby (Mme de), 8.
Balsamo (Joseph) (voir Cagliostro).
Barry (comtesse du), 40, 181.
Barthélémy (abbé), 78, 80, 81.
Baudard de Saint-James, 67.
Baudeau (abbé), 151, 153.
Baudelocque, 104.
Beaumarchais (Pierre-Augustin Caron de), 7-34, 37-44, 51, 55, 59, 65, 67, 69, 71-74, 80-85, 117, 134, 139, 141, 169, 171, 172, 177, 179, 181, 182, 184, 190, 195, 196, 198, 218-221.
Beauvoisin (Melle), 67.
Beccaria, 48, 55.
Bellanger, 82.
Bérenger, 123.
Bergasse, 219, 220.

Bernardin de Saint-Pierre, 97, 99, 128.
Berthollet, 131.
Bertin, 200.
Berquin, 99.
Besnard (curé), 111.
Blanchard, 134.
Blossac, 168.
Boisgelin, 179, 207.
Boisguilbert, 151.
Boissière, 182.
Bossuet, 130.
Boucher, 100.
Boufflers (Mme de), 65.
Boulainvilliers, 165, 174.
Bourbons, 35, 38, 53.
Bret, 13.
Breteuil (baron de), 10, 12, 194.
Brienne (voir Loménie de).
Brionne (comtesse de), 81, 207.
Brissot, 57, 179, 180.
Buffon, 131, 153, 201, 208.

Cabarrus, 54.
Cagliostro (Joseph Balsamo dit Alexandre comte de), 138.
Calonne, 8, 207, 209, 211, 212, 213, 216.
Campan (Mme), 10, 12, 24, 36, 63.
Cannet (Sophie), 88.
Caraccioli (marquis de), 35.
Caron (André-Charles), 84.
— (Pierre-Augustin) voir Beaumarchais.
— (Jeanne-Marguerite, dite Tonton), 85.
— (Julie), 84.
— (Marie-Josèphe), 53, 85.
— (Marie-Louise, dite Lisette), 53, 85.

251

Caron de Beaumarchais (Eugénie), 73.
Caronas (las), (voir Marie-Josèphe et Marie-Louise Caron).
Carra, 123.
Cartouche, 161.
Casanova, 101.
Cassini, 131.
Catherine II (impératrice de Russie), 11, 53, 54, 56, 58.
Châlons (Mme de), 8.
Chamfort, 179.
Champion de Cicé, 207, 208.
Chardin, 99.
Charlemagne, 63.
Charles, 133.
Charles Ier (roi d'Angleterre), 203.
Charles III (roi d'Espagne), 37, 38, 54, 57, 74.
Chartres (Louis-Philippe-Joseph, duc de), 68, 70, 83, 180, 191.
Chassereau (Vve), 57.
Chastellux (marquis de), 179.
Chateaubriand, 127.
Châtelet (marquise du), 72.
Chaulnes (duc de), 39, 74.
Chénier, 67.
Cheverny (comte Dufort de), 81.
Chevreul, 104.
Chimay (princesse de), 8.
Choderlos de Laclos, 75.
Choiseul (duc de), 32, 37, 45, 47, 65, 78-81, 111, 169, 198, 207.
— (duchesse de), 76, 79, 80, 81, 105.
Choubine, 53.
Clavière, 180.
Clavijo, 85.
Cloots, 123.
Clugny, 164.
Cluzel (du), 104, 164.
Colbert, 204.

Condorcet, 154, 178, 179, 201, 209.
Contat (Melle), 8.
Conti (prince de), 39, 190.
Coqueley, 9.
Court de Gébelin, 132.
Coyer (abbé), 46, 124, 175.
Croy (prince de), 119.
Curtius, 69.

Da Ponte, 19.
Daudet de Jossan, 219.
David, 48.
Dazincourt, 8.
Deane (Silas), 42, 43.
Deffand (Mme du), 76, 78, 190.
Delaunay, 100.
Delille (abbé), 179.
Descartes, 122.
Desfontaines (voir Foucques-Deshayes).
Deslon, 136.
Desrues, 69.
Diderot, 33, 54, 56, 95, 122, 123, 153, 177, 184, 194, 201, 208.
Dillon, 207.
Dreux-Brézé (marquis de), 73.
Du Coudray, 42.
Dudrenenc (Mme), 8.
Duplain, 183.
Dupleix, 36.
Dupont de Nemours, 151, 206, 212.
Durand, 85.
Duranty, (citoyenne, voir Amélie Houret).
Duras (duc de), 179.
Duverney (voir Pâris-Duverney).

Eden, 147.
Eon de Beaumont (chevalier d'), 41.
Epicure, 62.
Epinay (Mme d'), 190.
Estaing (amiral d'), 44, 69.

Falconet, 54.
Falkenstein (comte de) (voir Joseph II).
Fénelon, 174.
Fersen (comte Axel de), 50.
Flavigny (vicomte de), 48.
Fleury (cardinal), 165, 191.
Foucques-Deshayes (dit Desfontaines), 13, 19.
Fragonard, 100.
Franklin, 43, 136.
Franquet (Madeleine-Catherine Aubertin, Veuve), 30, 73.
Frédéric II (roi de Prusse), 54, 56.
Fréron, 125.
Fronsac (duc de), 11, 12.

Gabriel, 58.
Gaillard, 12, 13.
Galiani, 56.
Galwey, 118.
Garat, 66, 132.
Gatti, 105.
Genlis (Mme de), 125.
Geoffrin (Mme), 190.
George III (roi d'Angleterre), 38, 58.
Gleischen (baron de), 81.
Gluck, 65.
Godeville (Mme de), 74.
Goethe, 60, 85.
Goezman, 38, 39, 85, 198.
Goldoni, 68.
Goncourt, (Edmond et Jules de), 72.
Gournay, 151.
Gramont (duchesse de), 81, 207.
Gouges (Olympe de), 19.
Greuze, 100, 124, 128.
Gribeauval, 45.
Grimm (baron de), 55, 56, 65, 153, 201, 208.
Grimod de La Reynière, 67.
Gudin de La Brenellerie, 72, 74.
Guibert (comte de), 46, 47, 65.
Guidi, 13.

Guilbert, 85.
Guillotin, 136.

Habsbourg, 135.
Hachette des Portes, 169.
Hanriot, 220.
Helvetius, 122.
— (Veuve), 190.
Herder, 60.
Holbach (baron d'), 55, 56, 123.
Hortal (voir Beaumarchais).
Houret (Amélie, *alias* citoyenne Duranty), 74, 220.
Huet de Vaudour, 147, 148.
Hume, 55.

Jenner, 106.
Joly de Fleury, 211.
Joseph II (empereur), 19, 55.
Juigné (Monseigneur de), 16.

Kempelen, 137.
Kléber, 50.
Klopstock, 60.
Kornman, 218, 219.
— (Mme), 218, 219.

Laascuse (Mme de), 8.
La Blache, 38, 39.
Labre (Benoît-Joseph, saint), 138.
La Châtre (Mme de), 8.
La Croix (marquise de), 74.
La Fayette, 43, 44.
Lafrensen (*alias* Lavreince), 53.
Lagrange, 131.
Lagrenée (l'Aîné), 53.
La Harpe, 65, 69, 132, 179.
Lalande, 131.
Lamballe (princesse de), 8, 11.
La Marinaie (comte de), 74.
La Mettrie, 122.
Lamoignon (garde des sceaux), 217.
Lamoignon de Malesherbes (voir Malesherbes).

La Rochefoucauld-Liancourt, 111.
Lasne d'Aiguebelle, 127.
Latour, 57.
Lavater, 138.
Laverdy, 200.
Lavoisier, 111, 131, 136.
Lavreince (voir Lafrensen).
Le Boursier du Coudray (Mme), 104.
Lebreton (Pauline), 73.
Lécluse, 16.
Lefèvre d'Ormesson, 211.
Le Laboureur, 174.
Le Mercier de La Rivière, 151.
Lemoine (jeune), 82.
Lenoir, 9, 11, 91, 180, 219.
Le Normand, 69.
Léon le Juif, 138.
Léonard, 124.
Lepaute, 84.
Leprince, 100.
Lespinasse (Julie de), 47, 64, 190.
Lévêque (Geneviève-Madeleine Watebled veuve), 73.
Lezay-Marnesia (marquis de), 76, 77.
Linguet, 69, 194.
Lisette (voir Caron Marie-Louise).
Locke, 122, 151.
Loménie de Brienne, 179, 207, 216, 217.
Louis XIV, 58, 61, 103, 112, 115, 119, 160, 162, 168, 170, 171, 174, 187.
Louis XV, 29, 30, 37, 40, 50, 54, 58, 61, 63, 81, 84, 103, 108, 117, 169, 170, 181, 197, 198.
Louis XVI, 8, 10-12, 18, 24, 32-37, 40, 41, 45, 49, 51-54, 58-60, 66, 70, 76, 79, 83, 102, 104, 106, 107, 114, 116-118, 122, 123, 127, 131, 137, 139, 142, 143, 145, 151-155, 167-170, 177, 181, 183, 185, 186, 189, 190, 194, 197-199, 202-204, 210-212, 216.

Maggiolo, 186.
Malesherbes (Lamoignon de), 17, 154, 183, 201.
Mame, 185.
Mandrin, 161.
Manuel, 220.
Maraise (Mme de), 52.
Marat, 179.
Marchais (curé), 130.
Maréchal, 123.
Marie-Antoinette, 40, 50, 54, 55, 63, 124, 181, 207, 215.
Marmontel, 48, 65, 123, 132, 179.
Matignon (Mme), 8.
Maupeou (chancelier), 38, 39, 40, 187, 198, 199, 217.
Maurepas, (ministre d'Etat), 198, 203, 207, 209.
Meister, 19, 24, 137, 180.
Ménard (Melle), 74.
Mercier (Louis-Sébastien), 28, 71, 92, 160, 161, 195, 202.
Mercier-Dupaty, 82, 169.
Mesmer, 135, 136.
Métra, 13.
Mirabeau (comte de), 17, 194, 205.
— (marquis de), 151.
Miromesnil (Hue de, garde des sceaux), 11.
Moheau, 96, 107.
Molé, 8.
Molière, 66, 96.
Monsieur (voir Provence, comte de).
Montbarrey (ministre de la guerre), 219.
Montesquieu, 122, 165, 174.
Montesquiou, 15.
Montgolfier (Etienne et Joseph), 133, 171.
Morellet (abbé), 179, 201.

Mozart, 19, 66.

Necker, 125, 168, 199, 201, 203-212, 216, 217.
— (Mme), 55, 154, 190, 208.
Newton, 122, 136.
Nicolet, 69.
Ninon (maîtresse de Beaumarchais), 74.
Noailles, 43.
Nord (comte et comtesse du), 11, 53, 55.

Oberkampf, 52, 119.
Oeben, 53.
Olivier (Mlle), 8, 20.
Orléans (Louis-Philippe duc d'), 105.
Orléans (Louis-Philippe-Joseph, duc d') (voir duc de Chartres).

Panckoucke, 57, 179, 184, 209.
Pâris (diacre), 137, 139.
Pâris-Duverney, 30, 38, 46, 51, 82, 84.
Pascal, 63.
Paul (grand duc) (voir comte du Nord).
Périer (Claude), 120, 171.
Périer (frères), 83.
Petit-Louis, 80.
Philippe-Egalité (voir duc de Chartres).
Phlipon (Manon) (voir Madame Roland).
Phlipon (père), 194.
Piccini, 65.
Picq, 64.
Pierre-le-Grand (tsar), 54.
Pigalle, 53.
Pilâtre de Rozier, 132, 134.
Pinard (abbé), 129.
Pinet, 171.
Platon, 62.
Polignac (famille de) 11, 31, 212.
Polignac (Mme de), 10, 11.

Pompadour (Mme de), 69.
Préville, 8.
Prost de Royer, 97.
Provence (comte de), 8, 10, 11, 17, 29, 31, 63, 132, 197, 203.

Quesnay, 151.
Quinaut, 66.

Ramponneau, 71.
Raynal (abbé), 123, 179.
Rayneval, 147.
Rétif de La Bretonne, 77, 87, 129, 173.
Réveillon, 220.
Richelieu (maréchal de), 11.
Riesener, 53.
Rivarol, 56, 59, 134.
Robert, 53.
Rohan (cardinal de), 215, 219.
Roland (Mme), 87, 88, 100, 194.
Ronac (Monsieur de) (voir Beaumarchais).
Rouillé d'Orfeuil, 123.
Rousseau, 33, 55, 72, 86, 87, 93, 95, 97, 98, 99, 122, 123, 125, 128, 177, 178, 184, 185, 188.
Ruer, 138.

Sabatier de Castres (abbé), 8.
Saint-Germain (comte de) (aventurier), 138.
Saint-Germain (Claude-Louis, comte de), (secrétaire d'Etat à la Guerre), 46, 47, 201.
Saint-Just, 61.
Saint-Martin (Claude de), 138.
Saint-Simon, 168, 174.
Sainval (Melle), 8.
Salieri, 65.
Sartine, 40, 169.
Saxe (Maurice de), 50.
Scott, 134.
Segur, 43, 47, 169.
Servan, 48.
Simiane (Mme de), 8.

255

Sixte-Quint, 58.
Socrate, 128.
Solages (chevalier de), 119.
Staël (Mme de), 55, 190.
Suard, 9, 11, 15, 16, 65, 153, 179, 184, 185.
Suffren, 45.
Swinton, 57.

Taboureau des Réaux (contrôleur général des Finances), 204.
Tallien (Mme), 54.
Terray (abbé) (contrôleur général des Finances), 197, 198, 200.
Théveneau de Morande, 40, 181.
Thomas, 179.
Tronchin, 105.
Trudaine de Montigny, 154.
Turbilly (marquis de), 108, 111.
Turgot, 130, 154, 164, 165, 199-201, 203-206, 208-211.

Vauban, 160.

Vaucanson, 137.
Vaudreuil (comte de), 12, 31.
Vaudreuil (famille de), 11.
Vergennes (secrétaire d'Etat aux Affaires étrangères), 37, 38, 41-43, 147, 210, 212.
Vestris, 64.
Vicq d'Azyr, 131.
Villers (Mme) (voir Willermawlaz Marie-Thérèse).
Vincent De Paul (saint), 164.
Voltaire, 16, 33, 39, 43, 54, 55, 62, 63, 72, 75, 82, 95, 122, 125, 154, 169, 172, 177, 184, 201.

Watebled (Geneviève-Madeleine) (voir Lévêque).
Wendel (de), 51.
Wilkinson, 51.
Willermawlaz (Marie-Thérèse), 25, 73, 74, 82, 220.
Willermoz, 138.

Young (Arthur), 55, 79, 108, 118.

Achevé d'imprimer
en décembre 1988
sur les presses
de l'imprimerie Gedit
en Belgique (CEE)

Illustration de couverture :
François Boucher
Le matin (détail)

ISBN 2-87027-268-5
D 1638/1989/1

 n° 283